LA SANTÉ PAR LA NATUROPATHIE

Composition et mise en page: Le Beffroi

Couverture: Jean-Yves Masson

publié par:
Les Éditions La Liberté Inc.
3020, chemin Ste-Foy
Ste-Foy, (Québec)
G1X 3V6
Tél.: (418) 658-3763

ISBN 2-89084-057-3

Dépôt légal, Bibliothèque nationale du Québec
3e trimestre 1989

LA SANTÉ PAR LA NATUROPATHIE

Andrée Gagnon

Les Éditions La Liberté

Mme Andrée Gagnon est:

* Bachelière en biologie de l'Université Laval (B.Sc.)
* Détentrice d'un certificat en pédagogie de l'Université Laval (C.Péd.)
* Naturopathe graduée de l'Institut de naturopathie du Québec (N.D.)

Elle est aussi membre des sociétés suivantes:

* Le Collège des naturopathes du Québec
* La Canadian Naturopathic Association
* L'Ontario College of Naturopathic Medecine
* L'Alliance des professionnels en pratiques alternatives de santé du Québec
* L'American Holistic Health Sciences Association
* La Health Action Network Society
* Fellow de la Society for Nutrition and Preventive Medecine
* Gouverneur de l'Université Laval

Je dédie ce livre à mes parents en hommage au courage et aux efforts qu'ils ont déployés pour me donner cette santé et cet esprit naturiste envers et contre tous...

REMERCIEMENTS

Je voudrais remercier mon père, le docteur **Henri-Louis Gagnon, N.D.,M.N.D.**, pour son dévouement et son talent. Naturopathe travaillant depuis plus de 25 ans dans sa clinique, il a su redonner la santé à des milliers de patients découragés.

Je remercie également le docteur **Raymond Barbeau, N.D.,Ph.D.**, pionnier de la naturopathie moderne au Québec. Ses nombreux travaux, apport précieux à cette science, lui valent, aujourd'hui, d'être mondialement connu; il a été candidat au prix Nobel des sciences en 1985.

Enfin, un remerciement particulier à tous mes patients, non seulement pour la confiance témoignée, mais bien plus pour leur courage et leur persévérance sur le chemin du retour vers la santé. Ils m'ont apporté infiniment plus que ce que j'ai pu leur donner, car ils sont des exemples vivants que la santé se gagne et se conserve à n'importe quel âge. Ils ont toute mon admiration.

PRÉFACE

La plus grande menace du XXᵉ siècle en matière de santé est sans contredit le **mercantilisme alimentaire**. En effet, depuis plusieurs années, pour des raisons économiques, on procède à la dénaturation systématique de notre alimentation et, conséquemment, à l'anéantissement de notre capital santé. Prétextant les exigences d'un consommateur de plus en plus soucieux de la présentation et du goût des aliments, l'**industrie alimentaire** nous fait manger des saveurs, des colorants et des édulcorants artificiels, des préservatifs et des vitamines synthétiques; elle a aussi recours à l'agriculture chimique, à l'irradiation des aliments, au raffinage, et la liste s'allonge. Elle nous a tant hypnotisés par sa publicité mensongère qu'elle a fait de nous des masses d'esclaves qui acceptent de manger désormais des **aliments frelatés** et **antimétaboliques**, alors que nous devrions exiger la qualité.

A tout cela il est grand temps de réagir, car pour la première fois dans l'histoire de l'humanité, nous formons à la fois une **nation suralimentée** et **sous-nourrie**. Depuis **plusieurs générations**, nous sommes à tel point **carencés** en vitamines, en minéraux et en oligo-éléments que nous portons déjà le poids des tares génétiques des générations antérieures.

Cet ouvrage veut faire la lumière sur les projets et les réalisations de l'industrie alimentaire. Que cela plaise ou déplaise, nous ne nous en soucions que dans la mesure où nous espérons ouvrir les yeux de ceux et celles qui s'obstinent encore à croire à la valeur nutritive de leur **pseudo-alimentation «équilibrée».**

Nous avons écrit ce livre uniquement pour les personnes désireuses d'améliorer leur santé. Notre objectif est donc d'éveiller les consciences à l'**alimentation naturelle** et **biologique**, comme facteur préventif d'une part, et à la **revitalisation** et à la **désintoxication cellulaire**, comme facteur curatif d'autre part. Là, seulement, se situe notre assurance santé.

Nous avons le pouvoir et le devoir d'agir sur notre santé pour augmenter toute notre potentialité. Si nous n'utilisons pas notre pensée pour réfléchir, nos activités auront alors, comme conséquence, de nous faire explorer encore plus à fond les voies de la dégénérescence qui conduisent inévitablement à la maladie et à une mort prématurée. Nous osons dire que **nous sommes, pour une bonne part, responsables de nos maladies comme de nos échecs.** Toutefois, il faut refuser le pessimisme désolé et passif devant la maladie, même si les efforts pour améliorer la qualité de notre propre vie sont immenses. **La santé est une valeur qui se mérite.**

La bonne alimentation est une ressource primordiale: elle mène à la santé. La diversité des écoles de pensées, en ce domaine, peut faire naître une certaine confusion dans les esprits. Nous sommes justifiés de nous demander qui a raison et quel système alimentaire est le meilleur. Afin de répondre à ces questions, nous ferons état des plus récentes découvertes scientifiques, concernant l'alimentation, pour que nos lecteurs soient en mesure de réfuter les théories erronées ou ne reposant sur aucune base expérimentale vivante. Ainsi, nous éliminerons la confusion pour en arriver à établir un modèle alimentaire clair, sans équivoque et adapté à nos besoins métaboliques.

Andrée Gagnon, B.Sc., N.D.
auteure

PREMIÈRE PARTIE

L'ALIMENTATION FALSIFIÉE ET ANTIMÉTABOLIQUE

1– Notre prétendue alimentation «équilibrée»

Beaucoup de gens pensent que le fait de consommer une grande variété d'aliments, à longueur d'année, les empêche d'être carencés dans l'un ou l'autre des nutriments essentiels, c'est-à-dire les vitamines, les minéraux, les oligo-éléments, etc. Leur diète «équilibrée» consiste donc à manger une grande diversité d'aliments appartenant aux quatre groupes principaux: les céréales, les fruits et légumes, les viandes ainsi que les produits laitiers. Ce régime, prétendument «équilibré», était sûrement adéquat et satisfaisant à l'époque où l'environnement n'était pas pollué et où les gens cultivaient de façon biologique leurs fruits et leurs légumes; **mais aujourd'hui, cela est loin de suffire**. Les méthodes modernes de culture et la raréfaction des engrais organiques provoquent un déséquilibre minéral des sols, ce qui entraîne le déséquilibre minéral des fruits, des légumes, des céréales et des autres végétaux que nous consommons. L'élevage des animaux de boucherie qui s'effectue avec des antibiotiques, des hormones de croissance, etc. et les procédés de conservation des aliments tels que la congélation, la mise en conserve, l'irradiation et les préservatifs chimiques ont des effets destructeurs sur la valeur nutritive de notre nourriture. Les procédés d'amélioration, telle l'adjonction de couleurs, de saveurs, de vitamines synthétiques, d'édulcorants et d'améliorants artificiels, contribuent à nous intoxiquer en entravant les mécanismes cellulaires de chacun de nos organes.

Les aliments sont notre meilleur gage de santé à condition d'y trouver tout ce qui doit s'y trouver. Mais ce n'est pas le cas et, aujourd'hui, **les tableaux des valeurs nutritives n'ont plus aucune valeur** étant donné la dégradation de notre nourriture. Alors, notre régime «équilibré» devient, par le fait même, nettement insuffisant. D'ailleurs, n'avons-nous pas certains problèmes de santé: **FATIGUE, MANQUE D'ENTRAIN, DIGESTION DIFFICILE, CONSTIPATION, NERVOSITÉ, INSOMNIE, ARTHRITE, ARTHROSE, RHUMATISME, PERTE DE MÉMOIRE, PERTE DE CHEVEUX, PERTE D'ACUITÉ VISUELLE, OBÉSITÉ, MAIGREUR EXCESSIVE, PROBLÈMES DE PEAU, MAUVAISE CIRCULATION, ALLERGIES DIVERSES**, etc.

Nos problèmes de santé sont, en général, causés par une alimentation défectueuse; aussi, nous voulons consacrer les pages qui suivent à expliquer ce que l'industrie alimentaire a fait de notre nourriture.

> *«A cause de l'appauvrissement des sols en minéraux, des méthodes industrielles de préparation et de présentation des aliments, plusieurs diètes qui semblent "bien équilibrées" sont fréquemment carencées en plusieurs éléments essentiels.»*
>
> Dr H. Curtis Wood, M.D.

2– Le raffinage mécanique des aliments

Le **raffinage mécanique**, très utilisé par l'industrie alimentaire, consiste à isoler mécaniquement, par filtrage, pelage, lavage et blutage, les divers éléments constituant un aliment. L'exemple de la farine blanche débarrassée du son et du germe de blé, substances aux vertus vitalisantes, mérite toute notre attention.

Pour diminuer les coûts de conservation de la farine blanche commerciale, on **extrait le germe de blé** du grain avant même qu'il ne soit moulu, ce qui a pour conséquence de faire disparaître **87% des minéraux bruts** et **88% des oligo-éléments**. La farine est ensuite **blanchie** de sorte que tout ce qui restait de vitamine E est éliminé. La farine commerciale, si belle d'aspect, n'est plus guère que de l'**amidon**. La nature, qui fait bien les choses, avait placé près de cet amidon, dans le grain de blé, certaines **enzymes** qui permettaient à notre estomac de transformer l'amidon en dextrine assimilable, donc de la digérer en grande partie. Mais la meunerie moderne élimine ces enzymes, nous empêchant ainsi de digérer le pain blanc, corps inerte et biologiquement toxique. Le pain blanc, tout comme le pain brun commercial, n'est pas un aliment mais **une supercherie** de l'industrie alimentaire. Manger du pain blanc ou du pain brun commercial cause de nombreux TROUBLES GASTRIQUES, des FERMENTATIONS INTESTINALES, une DÉMINÉRALISATION GRAVE et une IRRITATION CELLULAIRE qui peuvent mener au CANCER. De plus, le métabolisme des hydrates de carbone, sans tenir compte de toutes les autres fonctions, nécessite de la niacine (B_3), de la thiamine (B_1), de la riboflavine(B_2), de l'acide pantothénique(B_5), de la pyridoxine(B_6), du phosphore et du magnésium. Ces quatre derniers nutriments n'existent pas dans la farine blanche traitée chimiquement. Or, si l'un de ces éléments est absent, l'hydrate de carbone ne peut être utilisé par l'organisme. Le corps doit puiser dans ses réserves, privant le cœur et les os de phosphore et de magnésium, les nerfs et les muscles d'acide pantothénique, le sang et le cerveau de pyridoxine, et ainsi de suite.

De plus, à l'université du Texas, des scientifiques ont procédé à des études qui prouvent l'incapacité des mammifères à assimiler le pain blanc «enrichi». Soixante-quatre rats ont été nourris de pain «enrichi» dès leur sevrage; après trois mois, les deux tiers d'entre eux étaient morts et les autres étaient gravement atteints de tumeurs. En fait, les seuls vrais pains naturels sont faits avec de la farine biologique, au moyen de procédés naturels, et sont appelés **pains biologiques**; ils se trouvent dans les magasins de santé.

Le riz brun complet, qui contient 400% plus de vitamines B que le riz blanc, est un autre exemple que le raffinage enlève de précieuses valeurs nutritives aux aliments. Lorsque transformées en nourriture pour le petit déjeuner, d'autres céréales, comme le maïs ou l'avoine, perdent jusqu'à 90% de leur vitamine E, lors du raffinage.

Le manque de vitamines et de sels minéraux dans les céréales et les farines commerciales provoque des **TROUBLES THYROÏDIENS**, des **GOITRES**, des **CALCULS RÉNAUX ET HÉPATIQUES**, des **ARRÊTS DE CROISSANCE**, une **DIMINUTION DE LA RÉSISTANCE AUX INFECTIONS**, des **DÉGÂTS CELLULAIRES** ainsi qu'**UNE ALTÉRATION DE LA FLORE INTESTINALE.**

«La surconsommation d'aliments raffinés est la seule forme de suicide tolérée dans nos mœurs.»

Dr Clive McCay, Ph.D.
Université Cornell

3– L'épuration chimique des aliments

La fabrication du **sucre blanc**, par épuration chimique, ne manque pas d'étonner. Le sucre blanc subit une série de manipulations qui dénaturent profondément sa substance première: la betterave ou la canne à sucre.

Le jus de betterave à sucre, par exemple, est d'abord mis en contact avec du **lait de chaux**; l'on provoque ainsi une précipitation des sels de calcium et des substances albuminoïdes; ensuite, le sucre est épuré par la **chaux vive de l'acide carbonique**, des **gaz sulfureux** et du **bicarbonate de soude**. Cette précipitation est plusieurs fois **cuite**, **refroidie**, **cristallisée** et **centrifugée**. Pour enlever le sucre de la mélasse, on utilise de l'**hydroxide de strontium**. Le raffinage s'effectue par le **carbonate de chaux blanchi aux acides sulfureux** et traité par le **noir de l'outremer**. On obtient donc, à la suite de ce long processus, une substance chimiquement pure, le saccharose: c'est le sucre blanc, le sucre des boissons gazeuses, des desserts, du chocolat, des bonbons, de la crème glacée, des yogourts fruités, du ketchup, des confitures, des céréales du matin, etc. Le sucre blanc est à lui seul responsable de 68% des mortalités par le **CANCER** et les **CRISES CARDIAQUES**. Nous consommons actuellement plus de sucre en deux semaines que le faisaient nos ancêtres en un an, deux siècles auparavant. Nous sommes victimes d'un empoisonnement aux hydrates de carbone **raffinés**. La suppression plus ou moins totale du sucre, dans notre alimentation, suffirait à créer dans le corps un métabolisme nouveau et amélioré.

Le sucre blanc commercial et raffiné est une substance antinaturelle, car la nature ne l'a pas conçu de cette façon. De plus, étant privé de son environnement moléculaire normal composé de sels minéraux, d'enzymes, de vitamines, etc, l'organisme, en l'absorbant, doit se déminéraliser lui-même pour assurer l'assimilation de ce poison. Il est prouvé que le sucre blanc **décalcifie, déminéralise, excite** et, finalement, **épuise** l'organisme tout entier.

Toutes les jeunes femmes mangeuses de sucre raffiné ne savent pas ce qu'est une menstruation régulière sans douleur, sans crampes ni sans inconfort extrême.

La **MALADIE CORONARIENNE** et le **DIABÈTE** ont tous deux une cause commune: le sucre blanc et la farine blanche.

Le sucrose raffiné ($C_{12} H_{22} O_{11}$) (sucre de table), produit par un procédé chimique complexe, à partir de jus de canne à sucre, entraîne également la suppression de toutes les fibres et de toutes les protéines, ce qui représente 90% de la plante naturelle.

L'épuration chimique est employée également dans la fabrication des huiles végétales commerciales. Les graines oléagineuses (maïs, tournesol, safran, soya, etc.) sont d'abord broyées puis baignées dans une solution d'hexane ou d'autres dérivés du pétrole. Cette solution est par la suite bouillie, détruisant ainsi toute la vitamine E. Le raffinage, à l'aide d'alcalis comme la soupe caustique, permet ensuite la récupération de certains produits pour la fabrication du savon. La décoloration est obtenue en ajoutant à l'huile des agents de blanchiment auxquels adhèrent, comme par attraction, les pigments colorants de l'huile. Celle-ci est ensuite chauffée, puis filtrée, pour enlever les particules solides qui restent. La désodorisation est la dernière étape et elle consiste à faire bouillir l'huile, afin d'en éliminer toutes les odeurs. Il résulte, de ces opérations de raffinage, un produit sans odeur, sans couleur, sans saveur et sans valeur nutritive. Toutes les huiles commerciales (qui ne sont pas de pression à froid) sont faites de cette façon. Les vitamines liposolubles et les précieux oligo-éléments sont irrémédiablement détruits.

> *«Le fait est qu'il n'y a qu'une seule maladie majeure: la nutrition défectueuse. Toute souffrance et l'affection que nous pouvons ressentir sont directement liées à cette maladie majeure.»*
>
> Dr C.W. Cavanaugh, M.D.
> Université Cornell

4– *La chaleur excessive dans la fabrication des aliments*

La chaleur au-dessus de 90°C est le tombeau des diastases, des vitamines et des minéraux. Elle coagule même les molécules azotées comme l'albumine, elle carbonise les corps gras (goudrons cancérigènes) et elle rend les sucres inassimilables. Les éléments vitaux qui résistent à la chaleur sont très peu nombreux.

La chaleur excessive est utilisée pour faire des fritures (200°C à 300°C), des cuissons accélérées à l'autocuiseur (150°C sous pression), des conserves (100°C pendant plusieurs heures), etc.

La perte d'enzymes (autour de 50°C) rend la **DIGESTION DIFFICILE**, voire impossible; la disparition des minéraux de constitution crée des **ÉTATS D'ACIDOSE** préjudiciables à la vie des tissus; la mort des vitamines engendre des **carences graves** et les hydrates de carbone surcuits **se convertissent mal en glycogène.**

L'autocuiseur, dont le principe est basé sur l'autoclave destiné à la stérilisation, fait périr, sans aucune rémission, tous les éléments vivants renfermés dans les aliments et qui sont indispensables au maintien d'une parfaite santé.

«L'homme ne meurt pas, il se tue lui-même.»

Montaigne

5- L'adjonction de produits chimiques et d'additifs chimiques dans les aliments

A part les **préservatifs**, d'autres produits chimiques sont ajoutés à l'alimentation: des **colorants**, des **édulcorants**, des **antioxydants**, des **saveurs artificielles**, des **vitamines synthétiques** et tous les additifs alimentaires nés de l'imagination des chimistes qui polluent littéralement les aliments les plus sains, afin de mieux présenter ces derniers, au public insouciant et non éduqué en la matière. Parmi les **70 000** produits chimiques différents et actuellement commercialisés, **3 000** sont délibérément ajoutés à la nourriture et on en a relevé plus de **700** dans l'eau potable.

Ces substances, étrangères à l'organisme, se combinent avec des enzymes et intoxiquent les cellules, en s'opposant au déroulement normal des réactions métaboliques. Il s'agit d'intoxication par des poisons exogènes et non métabolisables.

Voici une liste, bien incomplète, d'additifs retrouvés dans les aliments:

Pain blanc: biacétate de sodium, monoglycérides, bromate de potassium, phosphate d'aluminium, teinture au goudron de houille, détertiaire-butyléparacrésol (antioxydant), chlorure d'ammonium, polyoxéthylène (amolissant), phosphate monocalcique, chloramine T, sulfate de potassium, vitamines synthétiques, pesticides, etc.

Céréales soufflées commerciales: hydroxy-anisole-butylée, acétate de sodium, rouge FD et C numéro 2 et du jaune FD et C numéro 5, sulfate ammoniacal d'aluminium, vitamines synthétiques, etc.

Saucisse, jambon épicé et viandes hachées: phosphate de calcium, nitrate de sodium ou de potassium.

Beurre commercial: peroxyde d'hydrogène, colorant jaune FD et C numéro 3(teinture de goudron de houille), acide nordihydrogaiarétique (antioxydant), oxyde de magnésium, etc.

Lait: peroxyde d'hydrogène, gomme d'avoine, vitamines synthétiques non métabolisables (A et D), antibiotiques (donnés au vache), insecticides, etc.

Salade de fruits en conserve: hypochlorite de calcium, chlorure de sodium, soude caustique, hydroxyde de calcium, métasilicate de sodium, acide sorbique, anhydride sulfureux.

Confitures et gelées de fruits commerciales: benzoate de sodium, phosphate bisodique, colorants, acide fumarique, chlorure de sodium, essences artificielles, sucre raffiné.

Vins: anhydride sulfureux, sulfate de calcium (nourriture de levure), sulfate de magnésium (correctif d'eau), polymixin B (antibiotique).

Bières: sulfate de cobalt, bisulfite de potassium (préservatif), dextrim (stabilisant), acide chlorhydrique(réglage d'acidité).

Légumes et fruits non biologiques: pesticides (bénomyl, carbendazin, thiophanate-méthyl, captan, carboryl, carbofuran, diazinon, zinèbe, parathion malathion), conservateurs sulfuriques, irradiation possible.

Jus de fruits commerciaux: acide benzoïque (conservant), diméthyle, polysiloxane 11 (agent antimousseux), D.D.T. et ses dérivés (insecticides), saccharine (substance chimique dérivée du toluène) ou sucre blanc.

Cornichons commerciaux: sulfate d'aluminium (pour raffermir), nitrate de sodium (améliorant de texture), émulsifiants pour disperser les odeurs.

Vinaigrettes commerciales: alginate de sodium (stabilisant),citrate de monoïsopropyle (antioxydant pour empêcher la détérioration des matières grasses), insecticides au phosphore (fines herbes).

Crème glacée commerciale: carboxyméthylcellulose (stabilisant), mono et diglycérides (émulsifiant), essences synthétiques, teinture au goudron de houille, antibiotique et insecticides (lait), oléomargarine (employée dans la cuisson), citrate d'isopropyle, citrate de monoïsopropyle (stabilisant), colorant AB et OB.

Sel de table commercial: hydroxyde de calcium (conservant), iodure de potassium, silicate de calcium (agent antiagglutinant pour que le sel ne colle pas à l'humidité).

Tartes aux pommes surgelées: hydroxyanisole butylé (antioxidant), additifs chimiques de la farine et du beurre, sodium ophénylphénate (conservant), quelques uns ou plusieurs des insecticides vaporisés sur les pommes: DDT, dinitro-orthocrésol, hexachlorure de benzine, malathion, parathion, déméton, lindane, arsenate de plomb, méthoxychlore, chordane, etc.

Viandes commerciales: acide chlorhydrique, soude, saumures au salpêtre, acide sulfurique et borique (pour aseptiser et stériliser), hormones artificielles au stibestrol (pour engraisser l'animal), antibiotiques et tranquillisants, antioxydants et colorants, pesticides (aldrine, dieldrine,chlordane, D.D.T., D.D.D., D.D.E., endrine, éthion, heptachlore, époxyde, malathion, parathion, toxaphène, B.P.C.).

Fromage traité: proprionate de calcium (préservatif), citrate de sodium (plastifiant), citrate de sodium (émulsifiant), phosphate de sodium (conditionnant), alginate de sodium (stabilisant), chloramine T (déodorant), acide acétique (acide), jaune FD et C no 3(colorant), sulfate potassique d'aluminium (raffermissant), peroxyde d'hydrogène (bactéricide), acide pyroligneux (saveur de fumée).

Soupes en boîte: hydroxianisole butylé (antioxydant), diméthyl polysiloxane (agent antimoussant), phosphate dibasique de sodium (émulsifiant pour soupe aux tomates), acide citrique (homogénéisant à soupe).

Brioches: proprionate de calcium (antimoisissure), diglycéride (émulsifiant), alginate de sodium (stabilisant), bromate de potassium (agent de maturation), phosphate d'aluminium (améliorant), acide butyrique (saveur de beurre), cinnamaldéhyde (saveur de cannelle), chlorure d'aluminium (conditionnant à pâte), sulfate potassique d'aluminium (ingrédient de la poudre à pâte acide).

Biscottes: hydroxianisole butylé (antioxydant), bicarbonate de soude (alcali), diglycéride (émulsifiant), méthylcellulose, bromate de potassium (agent de maturation), chloramine T (agent de blanchiment pour la farine).

Sandwichs de cantine: biacétate de sodium (antimoisissure), mono-glycéride (émulsifiant), bromate de potassium (agent de maturation), phosphate d'aluminium (améliorant), phosphate de calcium monobasique (conditionnant pour la farine), sulfate potassique d'aluminium (ingrédient de la poudre à pâte), ascorbate (antioxydant), nitrate de sodium ou de potassium (fixatif pour colorant), chlorure de sodium (préservatif), peroxyde d'hydrogène (décolorant), jaune FD et C no 3 (colorant), acide nordihydroguaiarétique (antioxydant).

«La conclusion inévitable est que dans un très grand nombre de maladies, la cause primordiale est la mauvaise alimentation. L'alimentation fautive est la cause d'un si grand nombre de maladies qu'on peut dire, en fin de compte, qu'elle est la cause de toutes les maladies.»

Dr G.T. Wrench, M.D.

6– Les aliments, les colorants et les saveurs de synthèse

La plus grave erreur de l'industrie alimentaire est d'avoir réussi à fabriquer, de toutes pièces, des aliments à partir d'éléments chimiques inertes. On peut ainsi faire du vin sans raisin, du jus de fruits sans fruits, du beurre sans lait, du sucre sans canne à sucre ou betteraves.

La **saccharine** (sucre blanc sans calorie) a été utilisée pendant plusieurs années, à l'insu du public, dans plusieurs produits alimentaires (maïs en crème, petits pois, etc.), car, moins coûteuse que le vrai sucre, elle représentait d'énormes économies pour les multinationales de l'alimentation. Sa découverte remonte déjà à plus de 50 ans. Elle fut retirée du marché, en 1977, après que les milieux scientifiques eurent constaté qu'elle menaçait la santé. La saccharine est l'anhydride de l'acide sulfamide benzoïque (sous-produit du goudron de houille).

Les autres succédanés du sucre ne sont pas moins dangereux. Entre autres, l'aspartame, approuvé par le gouvernement canadien en juillet 1981, est composé de deux molécules d'acides aminés, les acides L-aspartique et L-phénylalanine, reliées par une autre molécule, le méthanol ou alcool méthylique, plus connu sous le nom d'**alcool de bois**, un poison extrêmement corrosif. Sous l'influence de la chaleur de l'estomac, l'aspartame se redécompose en ces trois constituants; ainsi, une certaine quantité d'alcool de bois se retrouve assimilée par l'organisme, menaçant inévitablement la santé.

Des chercheurs américains s'inquiètent, maintenant, de l'action de l'aspartame sur la chimie du cerveau et sur les mécanismes des neurotransmetteurs. Il serait particulièrement pernicieux pour la femme, chez qui il provoque des **DÉPRESSIONS NERVEUSES**, des **CRAMPES** et des **MENSTRUATIONS ABONDANTES.**

L'aspartame est retrouvé aujourd'hui dans plusieurs produits alimentaires diététiques (à faible teneur en calories), tels les liqueurs diètes, les bonbons, les chocolats, les desserts à la gélatine, les biscuits de régime, les gommes sans sucre, etc.

On fabrique, aujourd'hui, des bonbons que l'on parfume à l'acétate d'amyle (bonbons anglais), au butyrate d'éthyle (goût d'ananas), au pipéronal (saveur de vanille). Le pipéronal, aussi délicieux soit-il au goût, est un puissant pesticide recommandé contre les poux. L'excellente essence de cerise de certains desserts n'est rien d'autre que de l'aldéhyde C-17 qu'on retrouve dans le plastique et le caoutchouc synthétique. On parfume d'autres desserts et sucreries au perlagolate-rutane d'éthyle (goût de coing), au salicylate de méthyle, à l'acétate et au benzoate d'amyle (goût de fraise), au formiate, au benzoate et au œnanthylate d'éthyle (goût de framboise), au valérianate de méthyle (goût de banane). Ces essences provoquent des **AFFECTIONS CHRONIQUES** au **FOIE**, au **CŒUR** et aux **POUMONS.**

Les protagonistes de la chimification alimentaire ont, une fois de plus, oublié que toutes ces substances synthétiques empoisonnent toutes les cellules de l'organisme.

«L'homme est le seul animal qui commet délibérément le suicide par auto-empoisonnement.»

Dr John Harvey Kellogg, M.D.

7– *L'agriculture chimique détériore les fruits, les légumes, les céréales, les légumineuses, les noix, les graines, etc.*

L'application de la mentalité industrielle à l'agriculture nous a conduits à un phénomène désastreux: l'appauvrissement des sols en minéraux. Ces sols carencés et lessivés donnent peut-être des rendements élevés, en termes de volume, mais les plantes qui y croissent sont physiologiquement déséquilibrées et elles doivent être protégées artificiellement, à l'aide de multiples traitements chimiques, contre les maladies et les parasites.

Les méthodes de culture actuelles se font avec des engrais ou fertilisants chimiques (potasse, phosphore) qui ne respectent en rien l'équilibre minéralogique du sol. En effet, ces engrais ne restituent pas l'ensemble des minéraux dont le sol a besoin pour construire des végétaux sains (fruits, légumes et céréales). On sait déjà que l'agriculture chimique entraîne, entre autres, de graves carences en magnésium dans le sol. Or la fonction chlorophyllienne des végétaux sera perturbée si le magnésium du sol est absent. C'est justement par la fonction chlorophyllienne (photosynthèse) que la plante peut fabriquer ses propres constituants (vitamines, protéines, enzymes, etc.)

Pour illustrer ce fait, prenons l'exemple d'une carotte provenant de l'agriculture chimique et achetée dans un supermarché quelconque. Elle a la forme et la couleur d'une carotte; par contre, elle en a de moins en moins l'odeur et le goût, puisqu'elle est constituée d'eau inerte, et que la plupart de ses éléments nutritifs sont absents.

Les conséquences de l'absorption des produits de la culture chimique (fruits, légumes, céréales, légumineuses, graines, noix, etc.) sont manifestes: des **MALADIES DE CARENCE** et des **MALADIES DE DÉGÉNÉRESCENCE** dites d'origine inconnue augmentent dangereusement chaque année. Notre soi-disant alimentation «équilibrée», composée en grande partie de fruits et de légumes cultivés chimiquement, augmente en nous les carences existant depuis fort longtemps. Ce type de céréales et de légumes montre, maintenant, des déficits d'environ 40% en minéraux par rapport aux produits biologiques et sa pauvreté en protéines est du même ordre. Dans les supermarchés d'alimentation ordinaire, on retrouve des carottes si faibles en provitamine A que cela ne change rien d'en consommer ou pas. Quant aux oranges, des études démontrent également qu'elles ne contiennent souvent que des traces de vitamine C.

Somme toute, nous ne pouvons plus savoir si les fruits et les légumes que nous consommons sont nutritifs lorsque nous ne connaissons pas leur provenance agricole. De plus, les traitements qu'ils subissent avec des pesticides, des fongicides, des herbicides et des nématocides possédant des actions additives d'une grande toxicité sur l'organisme tout entier ne viennent que compliquer davantage le problème, si bien que l'absorption répétée conduit à un seuil de concentration toxique contre lequel l'organisme n'est plus en mesure d'assumer sa propre défense.

En effet, ces substances toxiques pénètrent jusque dans les plus intimes cellules du corps où elles détruisent les enzymes accélérateurs des réactions de défense. De plus, elles bloquent les processus d'oxydation d'où nous tirons notre énergie, elles ralentissent le fonctionnement des divers organes filtres et elles peuvent déclencher de lentes régressions irréversibles des cellules. Nous avons le droit de connaître les dangers encourus à consommer des fruits et des légumes issus d'une technologie essentiellement au service du rendement financier des producteurs agricoles.

A cette mentalité d'agriculture industrielle, s'oppose la mentalité **d'agriculture biologique** où toute perturbation apportée, au nom de la rentabilité économique, au génotype ou au mode de croissance d'une plante, reste inacceptable, car elle conduit toujours à un amoindrissement de la vitalité et de la qualité de cette dernière .

Comme la santé publique dépend d'abord d'une agriculture saine, il est impératif de consommer des fruits et des légumes provenant d'une agriculture biologique. La première fonction de l'agriculture doit être de produire des aliments sains. C'est pourquoi des agronomes et des agriculteurs ont remis en question les techniques agricoles actuelles et ont décidé de pratiquer une agriculture dont le premier objectif est la santé du consommateur et où, conséquemment, aucun engrais chimique et aucun traitement chimique ne sont employés.

L'agriculture biologique est l'agriculture de demain; elle est le fruit de la seconde révolution agricole, une révolution au service de la vie humaine. Mais où trouver, dès aujourd'hui, ces aliments biologiques? Dans les grands magasins d'alimentation naturelle, on trouve, de plus en plus, de beaux étalages de vrais bons fruits et de légumes biologiques certifiés par les mouvements d'agriculture biologique. Seuls, ces aliments nous apportent encore tous les éléments nutritifs auxquels nous nous attendons. De plus, nous découvrons le vrai bon goût des fruits et des légumes ainsi que leur rôle premier, celui de nous maintenir en santé.

> *«La santé en Amérique est gaspillée autant que les terres et les forêts sont dévastées, parce que la santé humaine est liée à la santé du sol.»*
>
> Dr Trautmann, M.D.
> Madison, Wisconsin

8– L'irradiation nucléaire tue les aliments

De tous les dangers que l'industrie alimentaire nous fait courir depuis des années, sous le couvert du «progrès», l'irradiation des aliments par le radiocobalt 60 est, de loin, **le plus grand péril** qui menace actuellement l'humanité. Cette nouvelle technique de conservation des aliments périssables est une grave erreur, car si le bombardement nucléaire de la nourriture tue les bactéries déclarées néfastes, il tue aussi et, pour les mêmes raisons, les bonnes bactéries, les levures, les ferments, les diastases essentiels à la digestion et les vitamines B_1, B_6, C, E, K. De plus, il désintègre les acides aminés formateurs des protéines ainsi que les hydrates de carbone fournisseurs d'énergie ; il modifie la structure moléculaire des enzymes qui activent nos réactions métaboliques ainsi que les lipides constituants des parois cellulaires. Enfin, il transforme les protéines en substances dangereuses.

Il n'existe actuellement aucune expertise ni étude sérieuse permettant d'établir, à long terme, l'innocuité de l'irradiation des aliments. En revanche, plusieurs recherches ont été effectuées auprès de divers groupes d'animaux afin de connaître les effets de l'irradiation sur leur état de santé. Des populations de singes, de poulets et de rats ont été nourris, durant plusieurs années, avec des aliments irradiés. Ces recherches ont démontré que les sujets étudiés souffraient, après seulement quelques années, de **LEUCÉMIE**, de **LÉSIONS** et de **TUMEURS CANCÉREUSES**, de **MALADIES CARDIAQUES** et **RÉNALES** et de **MUTATIONS GÉNÉTIQUES**; de plus, de façon générale, ces animaux voyaient la **durée de leur vie considérablement réduite**.

Le Dr Walter Herbst, de Fribourg, déclarait dans un rapport au Congrès de l'Union mondiale pour la protection de la vie que la consommation d'aliments irradiés peut entraîner chez l'humain des **MODIFICATIONS GÉNÉTIQUES**, une **AUGMENTATION DE LA MORTALITÉ**, une **DIMINUTION DE LA CAPACITÉ DIGESTIVE** et une **PERTE DE VITALITÉ DE L'ORGANISME** se traduisant par une **MOINDRE RÉSISTANCE AUX INFECTIONS** et **AUX CANCERS**.

Une étude menée, en 1975, sur des enfants nourris au blé irradié avait permis de démontrer, lors de prises de sang, une augmentation inhabituelle des cellules polyploïdes dans le sang. La polyploïdie est un phénomène que l'on constate dans certains **CANCERS**. En

1978, d'autres chercheurs arrivèrent aux mêmes résultats, en répétant l'expérience avec des singes.

L'irradiation des aliments est une technologie déstabilisante qui engendre des molécules antimétaboliques que la nature n'avait pas prévues. L'absorption d'aliments irradiés désorganise les fonctions normales de tous les organes, de tous les tissus et de toutes les cellules en obligeant l'organisme à se créer des voies paramétaboliques, afin d'éliminer ces corps toxiques.

Nous voudrions savoir pourquoi l'industrie alimentaire veut tuer la vitalité de nos aliments. Serait-ce qu'elle y voit un net avantage économique sur les autres procédés de conservation, ou encore serait-ce parce que les centrales nucléaires chercheraient à se débarrasser de leurs déchets radioactifs en les vendant? Dans les deux cas, il s'agit exclusivement d'impératifs économiques. De plus, que penser de l'objectivité des études faites dans les universités et subventionnées par l'industrie alimentaire et nucléaire qui nous affirment bien innocemment l'innocuité de l'irradiation des aliments? Après tout, des animaux de laboratoire nourris aux céréales irradiées continuent de mourir de **RUPTURE DU MYOCARDE**. Des chiens nourris avec des oranges irradiées contenant la moitié de la dose prévue pour l'homme, ont vu leur **FÉCONDITÉ** diminuer de façon considérable dès la première génération.

En dépit de plusieurs études scientifiques alarmantes, l'irradiation des aliments au radiocobalt 60 est à point et n'attend que le feu vert des autorités pour être mise en application.

Depuis juillet 1983, les États-Unis ont approuvé l'irradiation pour 47 fines herbes et épices. En avril 86, la Food and Drug Administration faisait passer de 1 à 3 millions de rads la dose autorisée pour les épices.

Actuellement, la compagnie Mc Cormik est la seule compagnie avouant ouvertement qu'elle vend des épices irradiées.

A l'Institut Armand-Frappier, au Québec, on inaugure le centre canadien d'irradiation des aliments, tandis que les marchés de Floride offrent les premiers fruits et légumes irradiés destinés à la consommation en Amérique du Nord.

Après l'agriculture chimique et toute la panoplie d'insecticides et d'additifs alimentaires, après les aliments de synthèse, les aliments raffinés et la fluoration de l'eau, on vient, avec l'irradiation, d'**embaumer** définitivement notre nourriture. Cependant, on ne pourra pas duper tous les consommateurs, surtout les milliers de naturistes conscients de la valeur de la santé, qui ont déjà une alimentation naturelle et biologique. Non, beaucoup bouderont avec sagesse cette cuisine du diable!

Des multinationales ont formé une coalition afin de promouvoir l'irradiation et de faire pression sur les gouvernements, car si le coût d'investissement d'un irradiateur est élevé, le coût de son exploitation est faible. La conservation des aliments est ensuite assurée à un très faible coût parce que ces aliments sont «à moitié morts...»

L'irradiation suscite l'inquiétude dans presque toutes les régions du monde. La technologie de l'ère nucléaire commence à s'infiltrer dans nos maisons par des aliments irradiés. Qu'allons-nous décider? Allons-nous laisser empoisonner la prochaine génération encore plus que la nôtre? Nous pouvons empêcher l'industrie nucléaire d'entrer dans nos vies, dans nos maisons et dans nos corps.

«Un aliment stérilisé n'est pas un aliment, il n'en a que l'apparence et non la vertu.»

Mme De Saint-Genis

9– L'eau de consommation «empoisonnée»

Au siècle dernier, le nombre et la variété des polluants ont remarquablement augmenté avec la modernisation des techniques de la chimie. Aujourd'hui, et pour la première fois dans l'histoire de l'humanité, nous vivons au contact de produits toxiques, et cela, de notre conception jusqu'à notre mort.

L'eau du robinet contient toutes sortes de **détergents**, de **décolorants**, de **déchets chimiques** et **métallurgiques**, des **herbicides**, des **insecticides**, des **métaux lourds**, des **bactéries** et des **virus encapsulés** ayant résisté à une soi-disant épuration. On compte environ **700 produits chimiques** dans l'eau de consommation. Les buveurs d'eau sont donc en danger.

Même si l'absorption de faibles doses de métaux lourds, tels l'arsenic, le plomb, le mercure, le fluor, etc., ne semble pas affecter visiblement les adultes, un effet inverse, à long terme, existe chez les enfants. Le plomb se loge dans les os et interfère avec le **métabolisme du calcium** chez les jeunes; il cause aussi des **désordres dans le comportement**. Quant au mercure, il **ENDOMMAGE LE SYSTÈME NERVEUX**, cause des **LÉSIONS AU CERVEAU** et des **CONVULSIONS**. Une eau, contenant vingt fois moins de fluorure de sodium que la dose généralement ajoutée à l'eau, est suffisante pour tuer de nombreuses cellules humaines. Le fluor provoque la **CALCIFICATION DES LIGAMENTS** et des **TENDONS**, exposant ainsi les personnes à de sérieuses **FRACTURES**

OSSEUSES ET VERTÉBRALES. Le fluor perturbe le bon fonctionnement d'environ **80 enzymes** de l'organisme. De nombreuses études cliniques et scientifiques ont démontré un lien direct entre le fluor et le CANCER. Les Russes utilisaient le fluorure de sodium (qu'on vient d'ajouter à notre eau de consommation), durant la dernière guerre mondiale, pour tenir leurs prisonniers abrutis et dociles. Dans une ville américaine, après trois ans d'essai du fluorure dans les eaux d'aqueduc, on remarqua que l'incidence des accidents d'automobiles avait augmenté de 500 à 1 200 par année. Il existe un danger certain à consommer de l'eau du robinet ou à utiliser des dentifrices au fluorure.

La qualité de l'eau que l'on boit a un impact direct sur la santé. Le chlore de l'eau peut se transformer en chloroforme, un produit soupçonné d'être **cancérigène**. Le calcaire de l'eau du robinet peut s'accumuler à l'intérieur de l'organisme et causer différents troubles de santé tels les PIERRES AUX REINS (calculs rénaux). Plusieurs micropolluants toxiques à l'état de trace, tels les produits agro-chimiques, les pesticides et les hydrocarbures, ne sont pas éliminés par la majorité des usines de filtration. Le chlore contenu dans l'eau pourrait être responsable de **40% de tous les CANCERS DE REINS** de la nation.

Nous sommes en droit de nous interroger sur la valeur d'une civilisation technique appliquant aux esprits, comme à la matière, des lois dont le bien-fondé n'a pratiquement jamais été vérifié. Pourquoi devrions-nous absorber des poisons sous prétexte qu'ils ne sont pas tout à fait mortels? Aucune dose de poison ne peut être considérée comme inoffensive, cela n'a aucun sens.

«Nous sommes ce que nous mangeons physiologiquement, intellectuellement, spirituellement.»

Désir-Poyet

10– L'oxygène est trafiqué par la pollution

Comme nous sommes obligés de respirer l'air qui nous entoure, le problème de la pollution de l'air prend une importance toute particulière. Nous pouvons boire de l'eau distillée au lieu de l'eau du robinet, manger des aliments naturels et de culture biologique, de préférence aux aliments chimifiés, mais nous ne pouvons tout de même pas passer notre vie avec un masque à gaz sur le visage et, pourtant, il le faudrait.

Parmi les polluants qui pénètrent notre organisme, par inhalation, se trouve la fumée de cigarette. Les cigarettes, tout comme les voitures, produisent de l'oxyde de carbone qui prend dans le sang la place de l'oxygène. Un organisme ainsi pollué souffre d'**ASPHYXIE PARTIELLE, CHRONIQUE** et **CROISSANTE.**

La fumée de cigarette est actuellement, et de loin, le plus terrible polluant des poumons à cause de sa constance dans notre environnement.

Le tabac contient un poison «overtonien» qui **détruit la cellule nerveuse** du cerveau. Or, cette cellule ne se reproduit pas dans l'organisme, d'où l'évidence que le tabac **abrutit l'intelligence** petit à petit.

La cigarette cause inexorablement la **STÉRILITÉ**, la **FRIGIDITÉ**, l'**IMPUISSANCE**, les **FAUSSES COUCHES**, car les modifications introduites dans le sang par le tabac **empêchent la formation d'hormones sexuelles.** Elle **détruit la très précieuse vitamine C** et elle provoque des **ALLERGIES** et des **VERTIGES.**

En **ralentissant la circulation cardiaque**, le tabac oblige le cœur à battre plus vite et plus fort et, par le fait même, il **épuise le cœur** et **abrège la vie du fumeur.** Il provoque la **destruction de certains vaisseaux sanguins.**

La nicotine du tabac est un poison si violent que toute la nicotine contenue dans un paquet de cigarettes, avalée en une seule fois, suffirait à **tuer** quelqu'un sur le coup.

> *«L'homme est le seul être de la création qui viole constamment la Nature; cela lui vaut comme punition méritée la plupart des maladies.»*
>
> Parandel

11– Les poisons «overtoniens» de notre alimentation

Il est démontré que certaines substances solubles dans l'eau et dans les graisses peuvent **dissoudre l'enveloppe de la cellule**, particulièrement de la cellule nerveuse, et pénétrer en son sein en y occasionnant des **dégâts irrémédiables.** Les principaux poisons à double solubilité sont: l'**alcool**, le **café**, le **thé**, le **cacao** ou le **chocolat** et les **boissons gazeuses à base de caféine.**

Ces substances sont donc extrêmement dangereuses pour l'organisme. De plus, elles **acidifient**, **décalcifient** et **déminéralisent** la cellule, ce qui préparent de longue main la **cancérisation de l'organisme.**

Le café, le thé, l'alcool et les boissons gazeuses **augmentent aussi le taux de cholestérol** sanguin. Ils s'opposent à l'action de plusieurs vitamines, minéraux, oligo-éléments, hormones et enzymes. Ils sont donc des substances antimétaboliques qui **faussent le métabo-**

lisme normal de toutes les cellules, de **tous les tissus** et de **tous les organes.** Ils diminuent la capacité de digestion en **irritant** et en **sclérosant les muqueuses stomacales** et **intestinales** (**ULCÈRE, INFLAMMATION, GAZ, DIARRHÉE, CONSTIPATION, DIVERTICULE, etc.**). Ils **endommagent le foie** (**PIERRES SUR LA VÉSICULE, VERTIGES, NAUSÉES, MIGRAINES, etc.**) et ils **amoindrissent aussi la qualité du sang** (**VARICES, PHLÉBITE, HÉMORROÏDES, HYPERTENSION**). Ils **détruisent les cellules du pancréas** (**DIABÈTE, HYPOGLYCÉMIE, PANCRÉATITE**). Ils provoquent des **désordres cardiaques** (**PALPITATIONS, CRISE CARDIAQUE, etc.**), des **désordres mentaux** (**NERVOSITÉ, PERTES DE MÉMOIRE, ANGOISSE, INSOMNIE, TREMBLEMENTS, AGRESSIVITÉ**), des **désordres osseux** (**ARTHRITE, ARTHROSE, RHUMATISME, BURSITE, TENDINITE, CARIE DENTAIRE**), des **désordres musculaires** (**SPASMES, TREMBLEMENTS, NÉVRALGIE, INFLAMMATION**). De plus, ces substances s'attaquent aux **reins**, aux **glandes surrénales**, à la **prostate**, aux **ovaires**, à la **glande thyroïde** ainsi qu'à la **peau.** Bref, ils **épuisent considérablement les défenses de l'organisme.**

Le pouvoir toxique des boissons à base de caféine avait déjà été mis en lumière par le savant suédois Overton, d'où leur nom de poison «overtonien». Mais c'est au naturopathe québécois le Dr Raymond Barbeau, N.D., que nous devons l'ensemble de nos connaissances sur les effets cancérigènes du thé, du café,du cacao, du chocolat et des colas dont le principe toxique se nomme **méthylxanthine.** Son ouvrage «La cause inconnue des maladies», basé sur des années de recherche et de preuves scientifiques indubitables, est une véritable révélation sur leur pouvoir destructeur.

Ceux qui veulent des preuves sur la toxicité des **méthyl-xanthines** seront servis à souhait.

> *«La publicité est faite uniquement dans l'intérêt des producteurs et jamais des consommateurs (...). Aussi des quantités de produits alimentaires et pharmaceutiques, inutiles et souvent nuisibles, sont-ils une nécessité pour les hommes civilisés?»*
>
> Dr Alexis Carrel, M.D.
> «L'homme, cet inconnu»

DEUXIÈME PARTIE

LA GENÈSE DES MALADIES MÉTABOLIQUES

1– A la recherche de la cause de nos maladies

Si les gens comprenaient mieux les interactions qui existent entre l'alimentation et le métabolisme, ils sauraient davantage prévenir les problèmes de santé auxquels ils sont constamment exposés par l'alimentation chimifiée et carencée d'aujourd'hui. La dégénérescence de notre vitalité n'est pas un mystère, **sa cause est alimentaire.**

En effet, le vaste champ de connaissances de la médecine naturopathique, dans les domaines de la physiologie et de la biochimie appliquées à la pathologie humaine, nous a permis de reconnaître que la quasi-totalité des maladies dont nous souffrons était la résultante des déséquilibres alimentaires qui altèrent les **mécanismes enzymatiques** et l'**équilibre acido-basique** au sein même de la cellule.

Il n'est guère de maladies qui ne comportent un aspect métabolique accessoire ou fondamental. Pour les contrer correctement, il faut non seulement connaître les mécanismes physiopathologiques qui mènent aux désordres humoraux et tissulaires et les voies de ces désordres qui aboutissent aux manifestations cliniques, mais surtout les facteurs antiphysiologiques qui créent ces dérèglements.

Les facteurs antiphysiologiques sont multiples; ils proviennent principalement de l'alimentation raffinée et chimifiée, mais également de l'environnement pollué. Ces facteurs antiphysiologiques faussent le métabolisme cellulaire normal en bloquant les chaînes de réactions, tels la **glycolyse**, le **cycle de Krebs** et la **phosphorylation oxydative.** Ces chaînes de réactions constituent le lieu ultime où commencent les désorganisations pathologiques de la cellule.

La genèse des maladies métaboliques se fait par la saturation de la glycolyse, du cycle de Krebs et de la phosphorylation oxydative. En effet, le risque de développer des maladies dépend de l'intégrité cellulaire, c'est-à-dire de la qualité des échanges organiques d'oxydo-réduction et du maintien de l'équilibre acido-basique directement lié à la qualité de l'alimentation en facteurs vitaux (minéraux, oligo-éléments, vitamines, enzymes, diastases, etc.).

Il est donc possible de modifier l'évolution des maladies métaboliques en agissant directement sur les échanges enzymatiques et l'équilibre acido-basique cellulaire au moyen de cures de désintoxication, de revitalisation cellulaire et d'alimentation naturelle et biologique.

«Nous connaissons beaucoup de choses sur la maladie, mais nous ne semblons pas accorder beaucoup d'attention à la santé.»

Dr Paul Dudley White, M.D.

2– L'activité enzymatique cellulaire

La cellule et ses composantes

Il est établi que l'organisme humain est constitué fondamentalement d'une unité structurale complexe: la cellule (fig. 1).

La cellule et ses fonctions enzymatiques

La cellule peut se comparer à un minuscule laboratoire capable d'accomplir la synthèse et la dégradation de nombreuses substances. Ces réactions se font grâce à la présence de minéraux, d'oligo-éléments, de vitamines, d'enzymes, etc. La connaisance des cycles de réactions dans la cellule est essentielle pour comprendre le métabolisme normal d'une cellule saine et, ensuite, pour expliquer le dérèglement métabolique d'une cellule carencée.

Les enzymes sont des catalyseurs biologiques qui accélèrent les réactions chimiques à l'intérieur de la cellule. Ce sont des molécules protéiques possédant un ou plusieurs sites d'absorption définis (sites actifs) auxquels s'attache le substrat, c'est-à-dire la substance sur laquelle agit l'enzyme.

Bien qu'il soit possible d'isoler les enzymes et de les étudier dans la cellule vivante, elles ne travaillent pas de façon indépendante. Dans la plupart des cas, des séries d'enzymes catalysent des chaînes de réactions chimiques. Dans ces chaînes, le produit d'une réaction agit comme substrat de la réaction suivante, et ainsi de suite; on parle alors de réactions chimiques «couplées» dans la chaîne ou avec d'autres chaînes.

Il existe de nombreuses chaînes de réactions dans la cellule. La glycolyse, le cycle de Krebs, et la phospho-

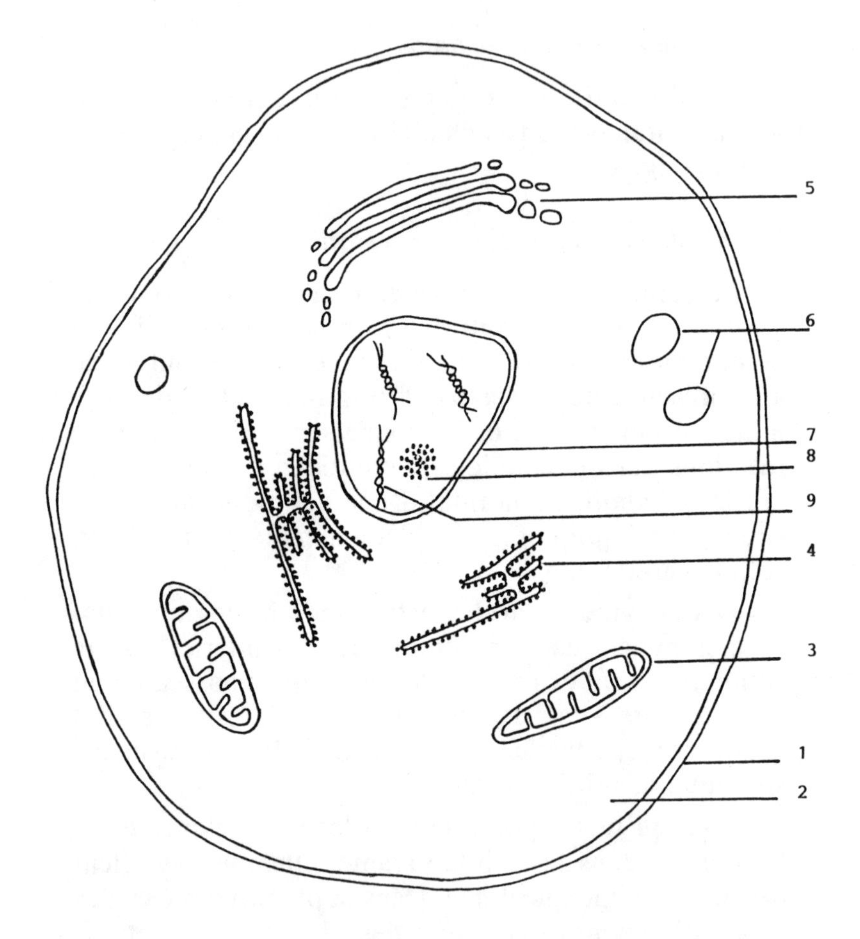

FIGURE 1 Schéma d'une cellule animale typique: 1) Membrane cytoplasmique 2) Cytoplasme 3) Mitochondries 4) Réticulum endoplasmique 5) Appareil de Golgi 6) Vacuoles 7) Membrane nucléaire 8) Nucléoles 9) Filaments chromosomiques.

1) **La membrane cytoplasmique**: Elle constitue la limite extérieure du cytoplasme. Elle possède une perméabilité sélective avec des systèmes de transport actif pour le sodium (Na), le potassium (K), le glucose, les aminoacides ainsi que d'autres nutriments. Elle est constituée de lipides et de protéines et elle contient beaucoup d'enzymes.

2) **Le cytoplasme**: C'est le milieu fondamental de la cellule qui entoure le noyau. On y retrouve des organites (mitochondries, vacuoles, etc.) ainsi que de nombreux produits fabriqués par la cellule.

3) **Les mitochondries**: Il existe environ 800 mitochondries dans une cellule. Elles sont constituées d'une double membrane. Celle de l'intérieur forme une série d'invaginations dont le but est d'augmenter la surface. En effet, la mitochondrie est le site d'oxydation (cycle de Krebs, phosphorylation oxydative) des glucides (sucres), des lipides (gras) et des aminoacides (protéines) pour produire de l'énergie (A.T.P.) par l'entremise de l'oxygène moléculaire (O_2).

4) **Le réticulum endoplasmique**: Il est formé de vésicules étalées dont les compartiments internes, appelés citernes, se connectent pour former des tunnels à travers le cytoplasme. A la surface de ces vésicules, on rencontre des ribosomes où sont élaborées les protéines spécifiques à la cellule.

5) **L'appareil de Golgi**: C'est un ensemble de saccules qui jouent un rôle dans la sécrétion vers l'extérieur des produits de la cellule tels que les protéines. Il est spécialement actif dans la formation des membranes plasmatiques.

6) **Les vacuoles**: Elles sont des cavités remplies d'eau et de substances considérées comme réserves ou déchets de la cellule.

7) **La membrane nucléaire**: C'est la limite extérieure du noyau. Elle est perforée de nombreuses ouvertures afin de faciliter les échanges entre le noyau et le cytoplasme.

8) **Les nucléoles**: Ils sont formés de granules très fins. Leur nombre est constant selon l'espèce et leur rôle est d'élaborer des substances qui se rendront dans le cytoplasme.

9) **Les filaments chromosomiques**: Leur rôle est de conserver les caractères héréditaires d'un individu, de contrôler l'activité du cytoplasme et de permettre la division cellulaire.

rylation oxydative sont des chaînes de réactions du métabolisme énergétique responsables du maintien du potentiel vital (vitalité de l'individu) et de l'intégrité cellulaire (absence de maladies). Comme elles sont la base même de l'harmonie vitale à l'intérieur de la cellule, c'est donc par elles que nous apprendrons la cause de nos maladies, car presque toutes les désorganisations cellulaires commencent par une désorganisation de ces trois chaînes de réactions énergétiques.

Minéraux et oligo-éléments, activateurs enzymatiques

De nombreuses réactions enzymatiques exigent la participation, en plus de l'enzyme et du substrat, d'une molécule organique dite coenzyme.

SUBSTRAT + ENZYME + CO-ENZYME = PRODUIT

Le cœnzyme est un élément minéral. Il existe 27 éléments minéraux classés selon leur abondance dans les tissus humains: les minéraux proprement dits et les oligo-éléments qui sont des minéraux contenus en plus petite quantité dans les tissus humains (fig. 2). Le cœnzyme active l'enzyme en modifiant sa configuration de façon à ce que l'enzyme puisse se fixer sur son substrat et produire une réaction chimique (fig. 2).

Les minéraux et les oligo-éléments activateurs enzymatiques sont des ions qui ne participent en aucune façon à la réaction mais dont la présence est nécessaire à l'activité enzymatique. Ce n'est que lorsque ces ions se trouvent présents dans un rapport bien équilibré que 3 000 enzymes peuvent être activés normalement. **Les minéraux et les oligo-éléments participent d'une façon capitale au déroulement normal des cycles chimiques et, par le fait même, à la santé.** Ils ont une action bien spécifique et permettent une réaction chimique déterminée. De plus, ils sont des modificateurs du terrain, car ils favorisent des phénomènes d'autodéfense de l'organisme face aux infections.

LES 27 ÉLÉMENTS MINÉRAUX DU MÉTABOLISME

MINÉRAUX		OLIGO-ÉLÉMENTS	
Hydrogène	H	Manganèse	Mn
Oxygène	O	Fer	Fe*
Carbone	C	Cobalt	Co*
Azote	N	Cuivre	Cu*
Calcium	Ca*	Zinc	Zn*
Phosphore	P	Bore	B
Chlore	Cl*	Aluminium	Al
Potassium	K	Vanadium	V
Soufre	S	Molibdène	Mo*
Sodium	Na*	Iode	I*
Magnésium	Mg*	Silice	Si*
		Étain	Sn*
		Nickel	Ni
		Chrome	Cr*
		Fluor	F*
		Sélénium	Se*

FIGURE 2 Éléments minéraux nécessaires à l'organisme humain

N.B. L'astérisque représente les minéraux et les oligo-éléments qui sont des activateurs enzymatiques au sein des réactions métaboliques.

On a longtemps pensé que les carences en minéraux et en oligo-éléments étaient impossibles. Aujourd'hui, nous devons faire face à l'évidence: les carences sont omniprésentes et causent l'inhibition de plusieurs réactions métaboliques (fig. 4). Toutes les désorganisations au sein de la cellule se répercutent sur les tissus et les organes jusqu'à l'apparition d'une maladie de dégénérescence.

Vitamines: biocatalyseurs énergétiques

Les vitamines sont des substances indispensables au bon fonctionnement de l'organisme; elles sont des principes vitaux qui agissent en quelque sorte comme des **catalyseurs** nécessaires pour déclencher les phénomènes essentiels à la vie et à la reproduction de l'espèce: assimilation, croissance, développement, entretien de la fonction vitale. Leur privation ou leur absence provoque des troubles et des lésions caractéristiques et variables suivant chaque avitaminose (fig. 4).

Le rôle cœnzymatique de certaines vitamines (fig. 3) est de catalyser des réactions chimiques de destruction, libératrices d'énergie et de synthèse, consommatrices d'énergie. Elles permettent à une réaction de s'effectuer dans des conditions compatibles avec la vie, c'est-à-dire sans variation extrême et par étapes ménagées qui comportent la libération progressive d'énergie. C'est la raison pour laquelle la plupart de ces réactions, quelle que soit leur nature, sont associées à des liaisons phosphorées spéciales à haut potentiel énergétique, appelées adénosine triphosphate ou **ATP**.

> *«L'Amérique est en voie de devenir rapidement une terre d'invalides et la responsabilité de ce triste état de santé retombe principalement sur notre façon de manger.»*
>
> Dr Winston Harper Bostich, M.D.

LES VITAMINES DU MÉTABOLISME

A		Rétinol
B_1*		Thiamine
B_2*		Riboflavine
B_3*	PP	Niacine
B_4*		Adénine
B_5*		Acide pantothénique
B_6*	G	Pyridoxine
B_7*	I, J	Choline, Inositol
B_8*	H, H,	Biotine
B_9*	L	Acide folique (antianémique)
B_{10}*	H_2, H'	Acide-para-amino-benzoïque
B_{11}*	T, O	Carnitine
B_{12}*	L_2	Cyanocobalamine (antianémique)
B_{13}*		Acide orotique
B_{14}		Xanthoptérine
B_{15}		Acide pangamique (antifatigue)
I*		Inositol
J*		Choline
C*	C,	Acide ascorbique
D	D1, D2, D3,	Calciférol (antirachitique)
E		Tocophérol
F*		Acides gras insaturés
K*		Phylloquinone (antihémorragique)
M		Stigmastérol (antiraideur)
N*		Acide lipoïque
P*		Rutine (antihémorragique)

FIGURE 3 Les vitamines nécessaires à l'organisme humain

N.B. L'astérisque représente les vitamines qui sont des activateurs enzymatiques au sein des réactions métaboliques.

3– Le métabolisme énergétique cellulaire

La glycolyse

Pour comprendre le métabolisme énergétique cellulaire, il faut posséder des notions précises sur le métabolisme intracellulaire et intramitochondrial, puisque c'est là même que se produisent les premières transformations énergétiques nécessaires au maintien des activités vitales; la santé dépend donc du bon maintien de ces activités.

Du point de vue physiologique, les mitochondries sont des outils biochimiques qui récupèrent l'énergie contenue dans les aliments (après être dégradés par la chaîne glycolytique en passant par le cycle de Krebs et par la voie de la phosphorylation oxydative), créant des molécules à haut potentiel énergétique. La somme des molécules d'**ATP** détermine notre énergie disponible.

Comme les mitochondries sont des organites cellulaires extrasensibilisés au milieu ambiant, il nous apparaît clair que tous les troubles organiques définis comme une maladie sont la résultante d'un disfonctionnement enzymatique des trois grands systèmes énergétiques: la **glycolyse**, le **cycle de Krebs**, la **phosphorylation oxydative.**

Il nous faut donc considérer les mitochondries comme des «génératrices» centrales de la cellule de par leur large éventail d'enzymes et de cœnzymes qui travaillent de façon intégrée au maintien des activités vitales.

La **glycolyse** est un système multienzymatique qui utilise les molécules de l'alimentation comme combustible pour créer de l'énergie à partir de réactions d'oxydo-réduction, et cela, sans oxygène (anaérobie). Les molécules de glucose (sucre) utilisées par la **glycolyse** sont dégradées en unités plus petites par déshydrogénation et elles aboutissent au **pyruvate** qui occupe une place centrale dans le métabolisme global, puisque c'est lui qui pénètre dans la mitochondrie (fig. 4 et 5). Tout le processus glycolytique est extramitochondrial, c'est-à dire qu'il se fait à l'intérieur de la cellule mais à l'extérieur de la mitochondrie.

Le cycle de Krebs

Le **cycle de Krebs** est une séquence cyclique de réactions. Il est catalysé par un système multienzymatique qui accepte comme combustible les groupes acétyl de l'acétyl-CoA provenant des glucides, des lipides et des protides et qui les disloque pour former du dioxyde de carbone (CO_2) et des atomes d'hydrogène (H). Dans toutes les cellules animales et végétales qui ont été étudiées à ce jour, les mitochondries constituent le lieu des réactions du **cycle de Krebs** (fig. 4 et 5). Pour amorcer ce cycle, six vitamines sont essentielles dont cinq du complexe B: la thiamine (B_1), la riboflavine (B_2), la niacine (B_3), l'adénine (B_4), l'acide pantothénique (B_5) et l'acide lipoïque (N). Ces vitamines sont toutes des enzymovitamines puisqu'elles rendent possibles certaines réactions enzymatiques. En effet, sans elles, il n'y a pas de production d'énergie **(ATP).**

La phosphorylation oxydative

La **phosphorylation oxydative** est la troisième et dernière séquence réactionnelle dans laquelle les paires d'électrons (2H) provenant des intermédiaires du **cycle de Krebs** s'écoulent le long d'une chaîne d'enzymes transporteurs d'électrons et passent à des niveaux d'énergie de plus en plus bas jusqu'à ce qu'ils réduisent

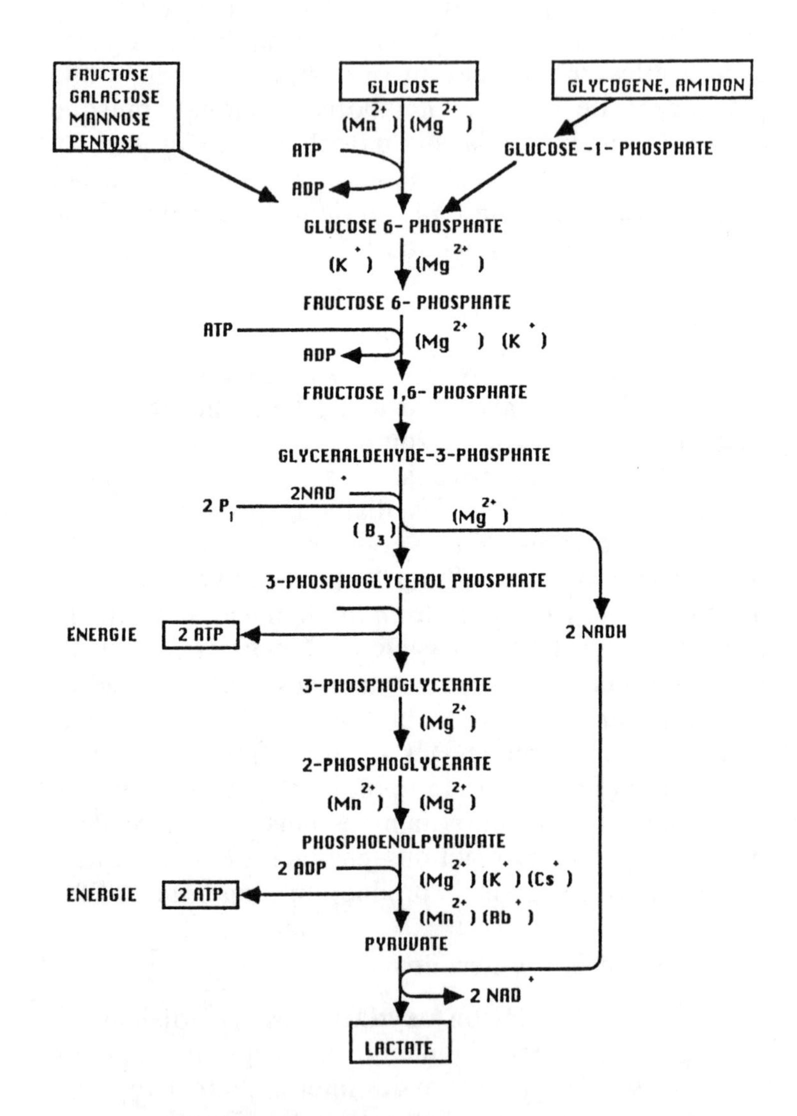

FIGURE 4 Schéma de la séquence réactionnelle de la glycolyse dans le cytoplasme cellulaire

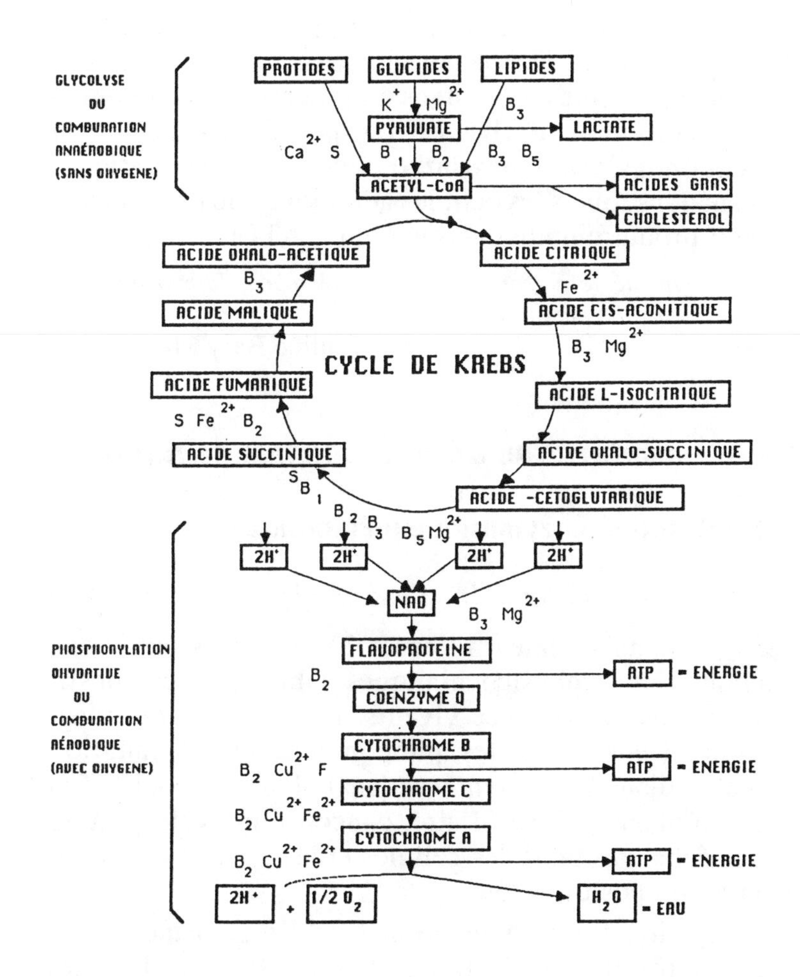

FIGURE 5 Schéma de la séquence réactionnelle de la glycolyse, du cycle de Krebs et de la phosphorylation oxydative

l'oxygène moléculaire, accepteur final des électrons dans la respiration (fig. 5).

Au cours de ce transport, la majeure partie de l'énergie des électrons est conservée sous forme de liaison riche en énergie (ATP) dans un processus appelé **phosphorylation oxydative.** Le transport des électrons et la **phosphorylation oxydative** interviennent pratiquement dans toutes les cellules aérobiques de l'organisme pour produire notre énergie vitale (ATP).

> *«Une seule personne sur mille échappe à la mauvaise hygiène alimentaire.»*
>
> Pauline Bury Mack, Ph.D.

4-– La saturation du métabolisme cellulaire

L'inhibition enzymatique métabolique:

1 – Processus d'inhibition enzymatique

Le métabolisme est l'ensemble des transformations chimiques et physicochimiques subies par les constituants des organismes vivants. Parmi toutes ces réactions, l'ensemble des phénomènes de dégradation (catabolisme) et de synthèse (anabolisme), appelé aussi métabolisme intermédiaire, concourt au cycle continu des échanges entre les cellules et les apports de l'assimilation postdigestive.

Le fonctionnement normal de l'organisme vivant est le résultat de l'action harmonieuse entre tous les systèmes enzymatiques qui mettent en jeu des milliards et des milliards de liaisons et de réactions d'atomes, et ce, de façon continue. Il est évident que, sur cette multitude de réactions, certaines peuvent bloquer, mais cela n'affecte pas le bon fonctionnement de l'organisme. Que se passe-t-il si la proportion des blocages est importante? Les blocages initiaux entraîneront d'autres blocages pour finalement casser une chaîne de réactions importantes. Les conséquences biochimiques de ces cassures ont pour effet la disparition plus ou moins complète, selon l'intensité des blocages, des éléments terminaux issus de la réaction inhibée. Inversement, les métabolites situés en amont de la réaction, et qui se trouvent piégés dans ce cul-de-sac métabolique, verront leur concentration augmenter. S'ils ne peuvent sortir de la cellule, ils s'accumulent sous forme d'inclusions diverses et ils traduiront leur défaut d'utilisation par une augmentation de leur concentration dans le plasma sanguin et dans l'urine. Dans certains cas, le catabolisme de ces substances suivra des voies normalement non utilisées et fera apparaître dans l'organisme des **métabolites intermédiaires** dits **anormaux** ou **toxiques**, car normalement absents (ou présents en très faible concentration).

Les déficits enzymatiques sont très nombreux et, dans l'ensemble, assez bien connus. Ils interrompent une voie métabolique qui, le plus souvent, comporte plusieurs étapes et produisent trois conséquences majeures:

a) Non-formation du produit terminal de la réaction ainsi que des intermédiaires situés en aval du blocage. Par exemple, si le cycle de Krebs est bloqué au niveau de l'acétyl-CoA parce qu'il n'y a pas eu de fabrication d'acide oxalo-acétique, il peut y avoir déviation du cycle de Krebs et fabrication de cholestérol ou d'acides gras de façon incontrôlée.

b) Accumulation des précurseurs en amont du blocage (**métabolites toxiques, acidifiants**), tels l'acide oxalo-acétique, l'acide citrique, l'acide isocitrique, l'acide oxalo-succinique, l'acide -cétoglutarique, l'acide succinique, l'acide fumarique, l'acide malique, etc. (fig. 5). Ces acides en trop grande concentration sont responsables de l'**acidose métabolique**.

c) Altérations métaboliques (cause des maladies métaboliques chroniques, de dégénérescence), tel le **ralentissement d'un groupe de cellules spécialisées.** Les cellules hépatiques du foie peuvent, par exemple, s'engorger de gras saturés et ralentir le foie dans une ou plusieurs de ses fonctions, déterminant ainsi une pathologie.

2 – L'inhibition enzymatique

De nombreux facteurs peuvent affecter l'activité des enzymes. La vitesse des réactions dépend principalement des concentrations relatives de l'enzyme et de son substrat. Si la concentration enzymatique est élevée, la vitesse initiale de la réaction augmente de façon proportionnelle. Si la concentration du substrat est élevée, l'activité enzymatique peut augmenter jusqu'à une certaine concentration du substrat; l'enzyme devient alors saturée et son activité cesse.

Les saturations enzymatiques sont principalement dues à la **surconsommation d'hydrates de carbone raffinés** (sucre blanc, farine blanche, riz blanc, pain blanc, etc.) qui apportent une dose massive de glucose à l'organisme dans un laps de temps très court et qui ne le regénèrent pas en minéraux, oligo-éléments et vitamines indispensables à l'activation des enzymes. Il se produit donc une diminution de l'activité enzymatique par rapport au substrat (glucose). On dit que la concentration glucidique dépasse le potentiel oxydatif du processus énergétique par saturation des chaînes enzymatiques qui sont la **glycolyse**, le **cycle de Krebs** et la **phosphorylation oxydative** (fig. 5).

Lorsque les réactions en chaîne du métabolisme sont saturées, des métabolites intermédiaires toxiques s'accumulent, et l'on voit apparaître de fortes concentrations d'**acides pyruvique**, **lactique**, **céto-glutarique**, **citrique**, **succinique**, **fumarique**, **malique**, **oxaloacétique**, ou **d'acides gras** et de **cholestérol,** tous des résidus d'un **cycle de Krebs perturbé** (fig.5). Les métabolites ainsi produits restent dans les tissus; ils imprègnent particulièrement les **organes**, le **cerveau**, les **nerfs** et le **système sanguin qu'ils irritent et engorgent.**

***Les inhibiteurs enzymatiques par excellence*:**
le sucre blanc, la farine blanche, le pain blanc, le riz blanc et les méthylxanthines.

Les mitochondries des cellules accumulent normalement beaucoup de calcium (Ca) nécessaire aux réactions enzymatiques, particulièrement dans la chaîne respiratoire (fig. 5). Pour chaque paire d'électrons qui passe du NADH sur l'oxygène, environ 6 ions Ca sont prélevés dans le milieu, deux pour chaque site de conservation d'énergie. De plus, nous savons que le magnésium (Mg) ne s'accumule pas dans la mitochondrie comme le calcium (Ca) et que son renouvellement dans la cellule est essentiel.

Or le sucrose (sucre blanc), la farine blanche, le pain blanc et le riz blanc sont des **hydrates de carbone raffinés**, c'est-à-dire qu'ils sont **dépourvus de facteurs vitaux** (minéraux, oligo-éléments, vitamines, enzymes, etc.). Ils produisent une grave carence du complexe vitaminique B et de plusieurs autres vitamines. De plus, ces glucides ayant une forte affinité pour les minéraux alcalins (Ca, Mg, K, etc.) **bloquent leur assimilation intracellulaire.**

Le sucre blanc, la farine blanche, le pain blanc et le riz blanc sont des aliments d'inhibition enzymatique, car ils soutirent brutalement de l'organisme tous les principes vivants; ce sont des aliments antiphysiologiques.

Les méthylxanthines contenus dans la caféine (**café**), la théobromine (**thé**), les **boissons gazeuses** et le **chocolat** ont une action inhibitrice certaine sur les chaînes et les cycles énergétiques. Les méthylxanthines rendent inactive l'enzyme carboxylase oxaloacétique en bloquant le cycle de Krebs et ils ont la même action sur le cytochrome oxydase de la chaîne respiratoire. De plus, ils faussent le processus vitaminique du complexe B et ils ralentissent l'activité de l'adénosine diphosphate (ADP).

L'acidose métabolique

Pour lutter contre cet état d'**acidose métabolique** plus ou moins accentué selon les cas, l'organisme se constitue des réserves alcalines qui sont de véritables tampons protecteurs antiacidité (Ca, Mg, K, etc.).

Or, avec l'acidose métabolique, un double problème se pose:

D'un côté, l'alimentation actuelle engendre un état de carence alimentaire considérable causée par l'usage excessif d'engrais chimiques dans le sol, par la pauvreté de la plante en minéraux et par le raffinage des principaux aliments. Les réserves en minéraux alcalins sont vite épuisées et ne se reconstituent plus ou très mal. L'organisme pour se protéger et pour faire fonctionner les mécanismes énergétiques essentiels au maintien de la vie est obligé de se déminéraliser. N'ayant plus de «tampons alcalins» de réserve, il cède les **minéraux de ses dents, de ses os, de ses glandes, de ses tissus, de ses nerfs, etc.**

D'un autre côté, l'accumulation de **métabolites intermédiaires toxiques**, due aux carences alimentaires dans les tissus, migre dans les fluides corporels pour aboutir dans le système sanguin. Ce sont des acides relativement forts (p. ex.: ac. lactique, pH= 3,7) et donc, très ionisés, c'est-à-dire qu'à leur excrétion, ils se chargent des cations alcalins, tels le **calcium**, le **magnésium**, le **potassium**, etc. (Ca, Mg, K, etc.).

De plus, lorsque la production d'acides dépasse la vitesse d'élimination rénale, ceux-ci s'accumulent dans l'organisme en **fixant les ions alcalins** de sorte qu'ils sont inutilisables pour les mécanismes vitaux. Il y a alors formation de **dépôts calcaires** ou de **petites pierres.**

L'**acidose métabolique** est la déminéralisation de l'organisme, **phénomène clé du dépérissement des individus** par acidisme alimentaire et épuisement des réserves alcalines.

> *«Nous ne sommes pas justifiés de modifier les aliments que la Nature nous a donnés. Dans les aliments frais et naturels, on trouve des substances essentielles à la vie, à la santé et au bon fonctionnement de l'organisme.»*
>
> Dr Winston Harper Bostich, M.D.

5– Comment la maladie se constitue en fonction des différents niveaux de vitalité de l'organisme

Que se passe-t-il lorsque la production de métaboliques toxiques dépasse la possibilité d'élimina-

tion et que ceux-ci s'accumulent dans l'organisme de façon considérable?

1 – Si la vitalité de l'organisme intoxiqué est grande

Il se créera une élimination des métabolites intermédiaires toxiques à la peau. On observera des maladies épuratives telles que l'**ECZÉMA**, le **PSORIASIS**, l'**ACNÉ**, l'**URTICAIRE**, la **FURONCULOSE**, etc. La vitalité de l'organisme intoxiqué poussera les déchets vers l'extérieur, en l'occurrence vers la peau.

2 – Si la vitalité de l'organisme est moins puissante

Les métabolites intermédiaires toxiques seront expulsés aux muqueuses et on aura des maladies telles que l'**ASTHME**, la **PNEUMONIE**, la **BRONCHITE**, les **INFECTIONS VAGINALES**, les **RHINITES**, les **COLIQUES**, les **DIARRHÉES**, etc.

3 – Si la vitalité de l'organisme est encore plus faible

Il y aura floculation des métabolites intermédiaires toxiques dans les cavités articulaires, par exemple, et il y aura apparition de maladies telles que les **DÉPÔTS CALCAIRES**, l'**ARTHRITE**, le **RHUMATISME**, la **BURSITE**, la **TENDINITE**, l'**ARTHROSE**, etc. C'est encore une tentative de l'organisme pour se débarrasser de ses toxines.

4 – Si le cycle de Krebs est non seulement perturbé mais dévié par épuisement des réserves en facteurs vitaux (vitamines et minéraux)

Il y aura une biosynthèse incontrôlable d'acides gras et de cholestérol à partir de leurs précurseurs, l'acétyl-CoA (fig.5). Cette biosynthèse étant particulièrement intense dans le foie, ce dernier risque de s'embourber de gras et de devenir lentement stéatosé. Le ralentissement du foie dans ses nombreuses fonctions (environ 500) cause une multitude de maladies.

Le sang et la lymphe perdent leur fluidité naturelle, le niveau de toxémie augmente, la circulation ralentit, les cheveux tombent, la peau devient sèche et crevassée, la **FRILOSITÉ** s'installe, l'irrigation et l'oxygénation cérébrales sont diminués; on observe des **PERTES DE MÉMOIRE**, des **ENGOURDISSEMENTS AUX EXTRÉMITÉS**, de l'**IMPUISSANCE** ou de la **FRIGIDITÉ**, l'**APPARITION DES VARICES**, de la **COUPEROSE**, des **HÉMORROÏDES**, de l'**ARTÉRIOSCLÉROSE**, et cette dégradation du système circulatoire peut se rendre jusqu'à l'angine de poitrine , l'obstruction de vaisseaux sanguins ou athérome.

Lorsque l'athérome se produit dans un artère coronaire et lorsqu'il devient très important, c'est l'**INFARCTUS**. Les maladies circulatoires sont, de loin, les plus graves de toutes les maladies, cliniquement et socialement. Elles constituent, d'après les statistiques, la première cause de décès, étant **cinq fois plus fréquentes que le cancer.**

5 – La cancérification de l'organisme

Le **CANCER** consomme une forte quantité de glucose pour produire à chaque heure 12% de son propre poids en acide lactique (un des acides métabolites les plus toxiques). En effet, tout excédent de glucose dans les tissus qui tend à dépasser les possibilités oxydantes du **cycle de Krebs** et de la **phosphorylation oxydative**, augmente l'utilisation anaérobique (par glycolyse) de ce glucose et tend à cancériser l'organisme en le déviant de son métabolisme normal.

Les cellules cancéreuses possèdent un métabolisme d'un type particulier. En effet, dans les cellules cancéreuses, les facteurs allostériques normaux (vitamines, minéraux, oligo-éléments, etc.), qui régularisent la vitesse d'utilisation du pyruvate dans le **cycle de Krebs**, sont absents; c'est pourquoi la seule issue possible pour l'acide pyruvique est sa transformation en **lactate** (fig. 5).

A l'état normal, le rendement énergétique des aliments est produit à 95% par comburation aérobique du glucose (transformation en CO_2 + H_2O) dans le **cycle de Krebs** et la **chaîne respiratoire,** et à 5% par fermentation anaérobique ou glycolyse (transformation en acide lactique). Or, pour produire le même quantum d'énergie, il faut, par glycolyse, 27 fois plus de glucose que par comburation aérobique.

Ici, le rôle nocif des hydrates de carbone raffinés apparaît très clair. L'organisme, disposant d'excédents glucidiques, tend à augmenter l'utilisation glycolytique des aliments pour essayer de résorber les excédents nutritifs; ceci, aux dépens de l'organisme, puisqu'il y a une grande concentration d'acide lactique toxique qui est produit. L'organisme n'a pas le choix puisque les facteurs allostériques normaux sont toujours en très basse concentration dans les cellules cancéreuses. De plus, il est démontré que la régulation de la biosynthèse du cholestérol n'a pas lieu dans les cellules cancéreuses carencées; il y a donc engorgement de la membrane cellulaire en cholestérol bloquant l'entrée de l'oxygène et forçant les cellules à vivre en anaérobiose. Le **CANCER** est une maladie métabolique de dégénérescence: l'**état ultime du déséquilibre minéral et vitaminique.**

L'apparition des maladies dépend du terrain du malade, c'est-à-dire de la qualité des échanges orga-

niques, en particulier oxydo-réduction et équilibre acido-basique. Ces échanges organiques évoluent normalement en présence de facteurs allostériques (minéraux, vitamines, oligo-éléments) pour lesquels les hydrates de carbone raffinés (sucre blanc, farine raffinée, pain blanc, riz blanc) et les poisons overtoniens (café, thé, alcool, chocolat, cola) ont une grande attirance.

«Derrière ces brillantes façades, la société actuelle entretient soigneusement les vices qui créent la maladie.»

Dr Pathault

TROISIÈME PARTIE

LA THÉRAPEUTIQUE NATUROPATHIQUE DU MÉTABOLISME

1– La santé par la naturopathie

La santé représente un état d'équilibre entre la force vitale qui s'exprime pour chaque cellule et les résidus toxiques qui sont en voie d'élimination. Il n'y a pas d'état parfait de santé sans traces d'acides dans les tissus. La santé est une lutte sans cesse renouvelée contre ces acides métaboliques qui se forment et se reforment à mesure des exigences de la nutrition. La santé est un état instable qui se gagne chaque jour et elle est conditionnée par ce double mouvement que sont l'assimilation de substances vitales (vitamines, oligo-éléments, minéraux, diastases) et l'élimination des métabolites toxiques (acide pyruvique, lactique, oxaloacétique, acides gras, etc.) Ces derniers, comme nous l'avons vu, sont formés à l'intérieur des cycles énergétiques de la cellule (fig. 5).

La naturopathie, fondée sur le respect des lois de la nature, est la science de la nutrition naturelle, l'art de promouvoir la santé et de prévenir la maladie en éliminant ses causes. Pour ce faire, la naturopathie utilise les facteurs naturels de santé: l'alimentation naturelle et biologique, les suppléments alimentaires, les vitamines, les minéraux, les oligo-éléments, les herbages, etc. dans le but de désintoxiquer l'organisme, de combler ses carences nutritives et d'augmenter sa vitalité.

Cette façon de faire est efficace et durable, car la naturopathie s'attaque à la vraie cause de toutes les maladies: les carences en facteurs vitaux et l'intoxication par les métabolites toxiques. Les personnes traitées par la naturothérapie apprennent à se guérir, à ne plus jamais être malades et elles deviennent conscientes que la santé est le plus grand bien qui existe.

La naturopathie, c'est aussi une école de santé qui se singularise par sa philosophie de la prévention, son évaluation de la santé, sa conception positive de la personne, sa science de la causalité des maladies reposant primordialement sur la nutrition, son étiologie fondée sur l'inobservation des lois biologiques, son interprétation de la maladie comme une perturbation du milieu intérieur et de l'équilibre humoral, sa notion de toxémie, l'attention qu'elle porte à la morbidité fonctionnelle, l'enseignement qu'elle fait de l'hygiène et de la sanitation, le respect qu'elle voue à la nature, l'accent qu'elle met sur l'immunité naturelle et la prophylaxie, son usage de méthodes rationnelles de désintoxication, son combat contre toutes les formes de pollution et, enfin, par son activité ayant comme objectif d'améliorer la santé de toute la population par l'enseignement des principes du naturisme.

Pour chaque patient, le naturopathe établit un dossier évaluant l'état de toxémie, une étude étiologique, une recherche des vraies causes de la pathologie, une étude des carences nutritionnelles et elle propose un traitement individualisé, destiné à restaurer la santé, c'est-à-dire à maintenir l'équilibre du milieu intérieur, à favoriser les fonctions d'élimination, la qualité des échanges d'oxydo-réduction, à maintenir l'équilibre acido-basique de l'organisme, à combler les carences nutritionnelles, à revitaliser, régénérer et désintoxiquer le métabolisme.

Le naturopathe base sa thérapeutique sur deux éléments fondamentaux: **la nécessité d'apporter à l'organisme l'ensemble des conditions essentielles à la santé** (air, eau pure, aliments naturels, exercices physiques, repos, équilibre émotionnel, etc.) et **la nécessité d'épurer le milieu intérieur**. Pour cela, le naturopathe doit:

- Analyser objectivement les symptômes du manque de vitalité.
- Supprimer les causes véritables de la maladie en corrigeant les erreurs du patient en fonction des lois de la vie et en recommandant des ajustements progressifs dans les comportements, les habitudes alimentaires, les attitudes psychologiques et le mode de vie.
- Traiter le patient en entier et non seulement les organes douloureux, engorgés ou faibles qui manifestent la toxémie et ne jamais tenter de camoufler les symptômes.
- Purifier le sang et les humeurs.
- Éliminer du système les métabolites toxiques ou toxines.
- Libérer les nerfs et les autres organes de toute pression anormale.
- Diminuer la tension nerveuse par des moyens naturels.
- Tonifier tout le système nerveux.
- Rééquilibrer les minéraux alcalins du métabolisme.
- Augmenter les forces vitales et combler les carences alimentaires.
- Instruire le patient sur ses besoins.

Le recouvrement de la santé se fait par 4 grandes étapes

I- *La désintoxication*

1- L'étude des symptômes et des maladies antérieures.
2- L'appréciation du poids.
3- L'inspection des ongles.
4- L'analyse de l'alimentation.
5- La correction des carences et des déséquilibres alimentaires.
6- Le rééquilibre des minéraux alcalins.
7- La recommandation de suppléments alimentaires et d'herbages spécifiques.
8- Le nettoyage des émonctoires (intestins, foie, reins, poumons, peau).
9- La normalisation du sommeil.
10- L'analyse de la toxémie.

II- *La récupération*

1- L'appréciation du poids.
2- L'évaluation de la vitalité générale.
3- L'inspection des ongles.
4- La purification du sang.
5- La correction de la fiche personnelle d'alimentation.
6- Le rééquilibre des minéraux alcalins.
7- La normalisation de l'appétit.
8- Les recommandations de nouveaux suppléments alimentaires et d'herbages.
9- La balnéothérapie.

III- *La revitalisation*

1- L'évaluation de la vitalité générale.

2– L'appréciation du poids.
3– L'inspection des ongles.
4– La correction de la fiche personnelle d'alimentation.
5– Le rééquilibre des minéraux alcalins.
6– La recommandation de nouveaux suppléments alimentaires et d'herbages appropriés aux besoins actuels.
7– La régénérescence des glandes endocrines.
8– La suppression progressive des causes véritables de la maladie.
9– L'acquisition d'habitudes de plus en plus naturistes.
10– La lecture d'ouvrages naturistes.

IV– *Le rétablissement*

1– L'évaluation de la vitalité générale.
2– L'appréciation du poids.
3– L'inspection des ongles.
4– La correction de la fiche personnelle d'alimentation.
5– La normalisation des activités psychologiques.
6– Le dosage d'entretien des minéraux alcalins.
7– La recommandation de nouveaux suppléments alimentaires et d'herbages appropriés à la vitalité en progrès.
8– La révision générale et une nouvelle thérapie si nécessaire.
9– Des suggestions personnelles et progressives pour l'adoption d'un mode de vie conforme aux lois de la nature.

Les nombreuses méthodes de la naturopathie ne peuvent pas être décrites en détail. Nous n'en citons que quelques-unes:

- L'**hydrothérapie** ou la **balnéothérapie** qui fait usage de l'eau et des bains comme moyen de désintoxiquer l'organisme par les pores de la peau et de stimuler les organes.
- La **phytothérapie** qui consiste à utiliser les plantes et les herbages, principalement sous forme de tisanes et d'extraits.
- L'**argilothérapie** qui utilise par voie interne et externe les propriétés curatives de l'argile ou terre glaise.
- La **massothérapie** et la **gymnastique douce** comme stimulant de la circulation.
- L'**héliothérapie** qui a recours aux effets bienfaisants et indispensables du soleil.
- Le **jeûne** comme cure de désintoxication dans certains cas bien précis ou encore des cures de jus de légumes frais.
- La **vitaminothérapie**, la **minéralothérapie** et l'**oligothérapie** sous forme de suppléments alimentaires appropriés à l'état de carence du patient.
- La **trophothérapie** qui enseigne au patient l'art de s'alimenter naturellement pour une bonne récupération de sa vitalité ainsi que pour bien entretenir sa santé.
- L'**activation des émonctoires** (foie, peau, reins, intestins, poumons) à partir de recommandations spécifiques de dépuratifs et de certaines vitamines aux vertus lipotropes, et autres.

Quelques réalisations littéraires des naturopathes québécois

Les naturopathes sont les premiers thérapeutes de la santé à avoir éveillé la population aux principes de l'alimentation naturelle par le biais de conférences et d'émissions de radio et de télévision, par la rédaction de chroniques-santé dans les journaux et par leur service de consultations privées. De plus, leur apport littéraire au monde de la science de la santé mérite d'être cité.

C'est ainsi qu'ils ont éduqué des millions de naturistes au Québec par leurs ouvrages sur l'alimentation naturelle ainsi que par leurs thérapeutiques naturelles. Voici quelques titres: *Mangez bien et rajeunissez*, *Votre santé par la naturopathie*, *L'importance du magnésium dans la santé*, *Recettes naturistes pour les Québécois*, *La cause du cancer*, *La cause inconnue des maladies* du Dr. Raymond Barbeau, N.D.; *La réforme naturiste*, *Le guide de l'alimentation naturelle*, *Les vitamines naturelles*, *Dossier Fluor*, *La santé par le soleil*, *La chaleur peut voir guérir*, *Le cœur et l'alimentation*, *Les plantes qui guérissent*, *La santé par les jus*, *La nutrition de l'athlète et du sportif*, *La vitamine «E» et votre santé* du Dr. Jean-Marc Brunet, N.D.; *L'exercice physique pour tous* de Guy Bohémier, N.D.; *Recettes naturistes pour tous* de Lise Dauphin, N.D.; *Une belle peau* de Rolland Lauzon, N.D.; *Maigrir naturellement* de Jean-Luc Lauzon, N.D.; *Les plantes curatives* d'Aldéï Lanthier, N.D.; *La santé de l'arthritique et du rhumatisant*, *Recettes naturistes pour arthritiques et rhumatisants* de Yvan Labelle, N.D.; *Échec au vieillissement prématuré de Jacques Blais, N.D.; Soins naturels de l'enfant*, *Soins naturels de la femme enceinte*, *Soigner avec pureté* de Johanne Verdon-Labelle, N.D.; *Vivre en santé après 40 ans* de Gilles Bordeleau, N.D.; *Les combinaisons alimentaires* de Lucile Bordeleau, N.D. et Gilles Bordeleau, N.D.; *Vaincre l'arthrite* de Gilles Parent, N.D.; *L'arthrite souffrance inutile*, *Si les glandes m'étaient contées* d'Yvon Labelle, N.D.; *Découvrons la réflexologie*, *Énergie et réflexologie* de Madeleine Turgeon, N.D. et bien d'autres.

> *«Jusqu'à maintenant, on n'a pas réussi à développer la nutrition optimum dans notre pays; au contraire, des conditions de déficiences existent et sur une grande échelle.»*
>
> National Research Concil
> Bulletin No. 109

2– Le processus de filtration, de neutralisation et d'élimination des métabolites intermédiaires toxiques

Les organes et les systèmes de filtration, de neutralisation et d'élimination des toxines alimentaires et des métabolites intermédiaires toxiques comprennent la **peau**, les **reins**, le **foie**, les **poumons** et les **systèmes digestif**, **squelettique**, **sanguin** et **lymphatique**.

1– Le système respiratoire

Ce système possède l'une des plus importantes fonctions d'élimination parce que la désintoxication s'opère à chaque minute par les poumons qui rejettent le gaz carbonique (résidu acide du cycle de Krebs) (fig. 5), la vapeur d'eau, plusieurs foculats, mucosités, cellules mortes, aggrégats visqueux ainsi que des acides toxiques.

Les **ÉTERNUEMENTS**, la **TOUX**, les **CRACHATS**, les **HALEINES FÉTIDES**, les **EXPECTORATIONS** de toutes sortes nous révèlent bien l'importance de la fonction désintoxiquante des poumons.

Maintenant, on comprend bien que la **BRONCHITE**, l'**ASTHME** et la **TOUX** représentent une élimination de toxines en production alors que le pouvoir éliminateur du foie, des reins et des intestins est dépassé. Les poumons prennent la relève et il ne faut pas essayer de fermer cette voie d'élimination par des moyens anti-symptomatiques, car ces traitements antinaturels vont générer inévitablement des maladies secondaires encore plus graves.

2- Le système sanguin et lymphatique

La lymphe baigne directement les cellules; elle s'échappe du plasma sanguin à travers la paroi des vaisseaux sanguins, migre vers les tissus et nourrit les cellules, au retour, elle emporte les déchets du métabolisme cellulaire (métabolites intermédiaires toxiques), gagne les ganglions lymphatiques, se charge de lymphocytes, s'épure et retourne dans les voies sanguines.

Les **ŒDÈMES** (la **RÉTENTION D'EAU**) représentent un phénomène de dilution d'une toxémie élevée.

3- Le système digestif

La digestion est l'ensemble des modifications physicochimiques que subissent les aliments dans le tube digestif.

Toutes les muqueuses du tube digestif sécrètent des ferments digestifs spéciaux qui agissent sur les aliments pour les hydrolyser, les dialyser, les dépolymériser, les oxyder, etc.

Le tube digestif, surtout dans la partie de l'intestin grêle, est souvent tapissé de déchets en putréfaction. L'élimination directe des matières fécales devrait être quotidienne. Les **DIARRHÉES** sont des efforts libérateurs pour assainir l'intestin, alors que la **CONSTIPATION** résulte d'une insuffisance des sécrétions biliaires (bile) et de l'assèchement des glandes à mucus dégénérées par l'**ACIDOSE MÉTABOLIQUE** et la **STÉATOSE HÉPATIQUE.**

4- Le foie

S'il existe un organe qui mérite toute notre attention, c'est bien le foie; il est une usine d'épuration, de fabrication et de stockage. D'ailleurs, il n'existe pas beaucoup de maladies métaboliques qui aient pour cause une usure prématurée du foie par accumulation de toxines diverses.

Le foie est l'organe le plus volumineux, le plus robuste et le plus important du corps. Il est capable de reconstruire ses cellules perdues et de régénérer celles qui sont endommagées. Il est le grand organe purificateur du corps, et à cet égard, sa fonction de protection est extrêmement importante.

En effet, le foie a comme fonction première de neutraliser les substances toxiques provenant de l'alimentation (thé, café, alcool, sucre raffiné, farine raffinée, drogues, nicotine, additifs chimiques, etc.) ainsi que les acides toxiques générés par un métabolisme carencé (cycle de Krebs). Cette neutralisation est possible si le foie est bien pourvu en minéraux alcalins et en particulier en sodium et magnésium (Na, Mg). Malheureusement, quand il a épuisé sa réserve de minéraux à cause d'une alimentation toxique et carencée, sa capacité de filtration diminue, si bien que les poisons peuvent passer dans la circulation causant bon nombre de maladies: **HYPERVISCOSITÉ SANGUINE, VARICES, HÉMORROÏDES, COUPEROSE, PROBLÈMES CARDIO-VASCULAIRES, DERMATOSES, FATIGUE, HYPERTENSION ARTÉRIELLE, ALLERGIES DIVERSES** et **CHRONIQUES, KYSTES, TUMEURS**, etc.

Une des autres fonctions hépatiques est la synthèse de la bile pour la digestion. La production de la bile par le foie est constante, mais son passage dans l'intestin grêle (duodénum) est intermittent. Entre les repas, quand la bile s'accumule dans la vésicule biliaire, une grande partie de son eau est réabsorbée par la vésicule de sorte que la solution finale est cinq à dix fois plus concentrée que celle sécrétée initialement par le foie. Donc, pour s'assurer une bonne digestion, il faut posséder une bonne qualité et une bonne quantité de bile après un repas, d'où l'importance primordiale de ne jamais manger entre les repas; en effet, les collations épuisent le système digestif et rendent toute digestion laborieuse.

La bile se compose du pigment biliaire (bilirubine) et elle est obtenue à partir des globules rouges détruits, de sels biliaires, de cholestérol, de graisses, de petites quantités de produits d'élimination du métabolisme et de lécithine. Les sels biliaires facilitent la digestion des graisses dans l'intestin grêle. Ils le font en dégradant les particules alimentaires graisseuses en de nombreux résidus plus petits. La présence de bile dans l'intestin est nécessaire pour la digestion et l'absorption des graisses et pour l'absorption des vitamines liposolubles A, D et K. La bile est de nature alcaline et aide à neutraliser le bol alimentaire acide quittant l'estomac et pénétrant dans l'intestin. Les acides toxiques et les autres substances toxiques neutralisées par le foie sont éliminés du corps par la bile. Cependant, si la capacité de filtration du foie diminue, les toxines se retrouvent telles quelles dans la bile. Une bile intoxiquée qui s'écoule dans les intestins causera des **INFLAMMATIONS INTESTINALES**, des **COLIQUES**, des **IRRITATIONS**, des **GAZ**, de la **FERMENTATION**, des **DOULEURS ABDOMINALES**, etc.

Le foie se charge des processus de transformation du glucose en glycogène, du glycogène en glucose, des protéines en glucose et en graisses et même des graisses en protéines et en glucose. C'est la manière économique de satisfaire les besoins primaires du corps en tout temps.

En effet, selon les circonstances, la plupart des individus consomment des quantités irrégulières d'hydrates de carbone. Les cellules hépatiques se chargent de cette fonction de régulation. Si des quantités suffisantes d'insuline sont disponibles, l'ingestion d'une grande quantité d'hydrates de carbone n'élève pas matériellement le taux de sucre sanguin, car l'excès de glucose se déversant dans le foie à partir de l'intestin, à travers la veine porte, est absorbé par les cellules hépatiques et est stocké sous forme de glycogène. Par la suite, les hydrates de carbone sont libérés des cellules hépatiques dans le courant sanguin, sous forme de glucose, à une vitesse suffisante pour maintenir le taux sanguin constant entre les repas. Un foie sain peut stocker beaucoup de glycogène; par contre, un foie déminéralisé produit beaucoup de gras saturés (ex: cholestérol), s'embourbe et ne peut plus emmagasiner autant de glycogène, d'où l'apparition de l'**HYPOGLYCÉMIE** ou du **DIABÈTE**.

En cas de jeûne ou d'inanition, les stocks de glycogène hépatique s'épuisent rapidement. Lorsque ceci se produit, un second mécanisme entre en action: la fabrication de glycogène et de glucose à partir des protéines (néoglycogénèse et néoglucogénèse). Les hormones surrénales jouent un rôle essentiel dans ce phénomène ainsi que les cellules hépatiques. Pour ce second mécanisme, le foie, en coopération avec les tissus, peut maintenir le taux de sucre sanguin à un niveau compatible avec la vie si aucun hydrate de carbone ou si aucun aliment n'est consommé.

Le foie joue également un rôle central dans le métabolisme des graisses. Il reçoit les graisses et agit sur elles. Si le foie est intoxiqué par une alimentation chimifiée et raffinée, sa capacité à emmagasiner, à produire et à métaboliser les hydrates de carbone diminue et une quantité excessive de graisses s'accumule dans l'organisme entraînant l'**OBÉSITÉ** plus ou moins importante. Le foie est souvent surchargé en cholestérol, ce qui diminue son rendement.

Le foie prépare, emmagasine et fournit au corps de nombreuses autres substances essentielles par l'intermédiaire du courant sanguin. Un de ces éléments est nécessaire au développement normal des globules rouges non mûrs de la moëlle osseuse (facteur de maturation érythrocytique). Sa déficience mène au développement de l'**ANÉMIE**, car il emmagasine le fer et le cuivre nécessaires à l'élaboration des globules rouges.

L'héparine et l'antithrombine qui empêchent la coagulation excessive et prématurée du sang dans les vaisseaux sont fabriquées par le foie.

Avec l'aide de la vitamine K, le foie fabrique la prothrombine, le facteur nécessaire à la coagulation du sang en cas d'hémmorragie. Ainsi, un foie sain agit sur l'équilibre sanguin et empêche l'**HÉMOPHILIE**.

La fabrication et l'entreposage de certaines vitamines ont lieu dans cette très grande et importante usine chimique interne. Le foie fabrique la vitamine A à partir du carotène, il emmagasine le complexe vitaminique B, un peu de vitamine C et la vitamine K, substances essentielles à son bon fonctionnement et il entrepose le fer et le cuivre nécessaires à l'élaboration des globules rouges.

Maladies du foie

Le foie, comme d'autres organes importants du corps, a une très grande capacité de réserve fonctionnelle. Il est probable que les trois quarts du foie devraient en être détruits avant que sa fonction soit manifestement perturbée. Toute une série de troubles, de la **CONGESTION SANGUINE** au **DURCISSEMENT DE LA SUBSTANCE HÉPATIQUE (CIRRHOSE)**, peut causer un disfonctionnement attribué à la toxémie (poisons dans le sang et dans les tissus).

Une **LANGUE CHARGÉE**, des **TROUBLES DIGESTIFS**, une **HALEINE FÉTIDE**, un **APPÉTIT ANORMAL**, des **DOULEURS DANS LES JAMBES** et au-dessus de la **RÉGION HÉPATIQUE**, une **SENSATION DE BALLONNEMENT** au niveau de la même région sont signes de **CONGESTION** de la glande entière; le tout est presque toujours accompagné de **CONSTIPATION.**

L'**HÉPATITE TOXIQUE** se produit lorsque les cellules hépatiques dégénèrent et meurent (**NÉCROSE**). Cet état est dû à l'ingestion, à l'inoculation ou à l'inhalation de produits chimiques toxiques pour le foie tels que l'arsenic, le chloroforme, le tétrachlorure de carbone, le benzène et les composés de phosphore ou d'or (injectés pour «traiter» l'arthritisme). Elle est également due aux transfusions sanguines, aux vaccinations, au cinchophène et à la colchicine qui sont administrés pour soulager la douleur de l'arthrite goutteuse.

Une mauvaise alimentation (farines raffinées, riz blanc, sucre blanc, café, thé, cola, chocolat, etc.), l'abus de médicaments pharmaceutiques, un manque d'oxygène peuvent produire une **STÉATOSE HÉPATIQUE** ou **«foie gras»**. La **STÉATOSE HÉPATIQUE**, c'est l'engorgement du foie dans le cholestérol, les acides gras et autres toxines. Dès lors, le foie se trouve embourbé et ne peut plus remplir toutes ses fonctions. De plus, le cholestérol et les autres toxines prennent la voie des veines, des artères et des capillaires produisant une hyperviscosité sanguine, ce qui ouvre la porte à de nombreux problèmes de santé tels que **VARICES, COUPEROSE, HÉMORROÏDES, PHLÉBITE**, problèmes **CARDIO-VASCULAIRES, HYPERTENSION, VISION BROUILLÉE, HYPOGLYCÉMIE, DIABÈTE, EMBONPOINT, CONSTIPATION**, problèmes de **DIGESTION, MENSTRUATIONS DIFFICILES, ENDOMÉTRIOSE, INFERTILITÉ, PROSTATE, FATIGUE CHRONIQUE, ANÉMIE, CANCER, KYSTE, TUMEUR, FIBROME, HÉPATOME, LIPOME, SCLÉROSE EN PLAQUES, DYSTROPHIE MUSCULAIRE, PARALYSIE, DERMATITE, ACNÉ, ECZÉMA, PSORIASIS, PERTE DE CHEVEUX**, etc.

Facteurs de correction des troubles hépatiques

La cause sous-jacente du mauvais fonctionnement du foie est la même que celle du mauvais fonctionnement de n'importe quel autre organe du corps. Cette cause est le mode de vie et les habitudes alimentaires. La consommation de thé,de café, de cacao, de cola, de tabac, d'alcool et d'aliments non nutritifs, un repos et un sommeil insuffisants, un manque d'exercice et d'oxygène, l'absorption de drogue, de pilules et de «stimulants», le manque d'équilibre mental et de nombreux autres facteurs conduisent à l'épuisement de nos réserves en minéraux et en vitamines. Or, ceux-ci servent de co-enzymes à la moindre transformation chimique ou physique, comme la contraction musculaire, la conduction des impulsions nerveuses, la sécrétion gastrique et intestinale et l'activation enzymatique. Quand notre réserve en minéraux et en vitamines s'épuise, tous les processus vitaux sont bloqués, y compris l'excrétion des poisons cellulaires dans le système lymphatique et le courant sanguin, ce qui équivaut à la toxémie fondamentale du corps.

Cet état toxémique se produit dans le foie aussi bien que dans n'importe quel autre organe du corps.

Le foie ne représente que l'un des nombreux organes du corps humain. Son «traitement» ne peut être entrepris avec succès que dans le cadre d'un régime destiné à promouvoir la santé de l'organisme dans sa totalité. Si les causes fondamentales sont éliminées, c'est à dire le mode de vie erroné et la toxémie consécutive, un fonctionnement maximum et équilibré de tous les organes (systèmes et tissus) sera possible, si des changements organiques irréversibles ne se sont pas produits dans ces parties.

Par l'utilisation des principes de la naturopathie (air pur, eau pure, exercices rationnels, alimentation naturelle ou biologique , supplémentation en nutriments essentiels en vue de corriger les carences et l'engorgement hépatique, sommeil suffisant, équilibre émotionnel) l'énergie vitale du foie sera restaurée.

Le moyen le plus efficace d'arrêter les modifications destructives du corps est d'abord d'améliorer son alimentation. La nature tend toujours à réparer les tissus endommagés, mais nous devons lui fournir les conditions favorables à cette action. Pour ramener le sang et les tissus à l'état normal, il faut, de plus, favoriser l'élimination des substances toxiques, amenant ainsi une régénération des tissus.

Au lieu de nous concentrer sur les symptômes, nous devons rechercher les causes et les éliminer. Quand nous aurons éliminé les causes, les symptômes disparaîtront d'eux-mêmes.

Si les erreurs de mode de vie et les habitudes ayant amené la maladie ne sont pas abandonnées, la maladie deviendra chronique.

5– Les reins

Les reins sont des organes filtres. Ils sont chargés de produits normaux et anormaux selon le niveau d'intoxication humoral et les besoins d'élimination.

Lorsque la concentration en acides métaboliques augmente considérablement dans l'organisme, les reins sont chargés d'en éliminer une certaine quantité. L'urine devient plus acide, ce qui peut engendrer divers problèmes: **CYSTITE, URÉTRITE, NÉPHRITE, INFECTIONS URINAIRES**, etc. De plus, ces acides tout comme l'acide urique sont des corps peu solubles qui tendent à cristalliser et à donner des **CALCULS RÉNAUX** par neutralisation.

6– La peau

La peau est un organe important de désintoxication au moyen des glandes sébacées et des glandes sudoripares.

Les glandes sébacées secrètent du sébum (substance huileuse colloïdale) et des déchets du métabolisme. Les peaux malades (**ACNÉ, ECZÉMA, PSORIASIS, URTI-**

CAIRE, VARICELLE, etc.) indiquent un état d'intoxication et entrent en fonction libératrice.

Les glandes sudoripares éliminent les métabolites intermédiaires toxiques.

7– Le système squelettique

Le tissu osseux est le grand réservoir de minéraux de l'organisme. Lorsque les acidités alimentaires et les acidités du métabolisme sont trop importantes, le calcium est emprunté au système squelettique pour neutraliser l'**acidose métabolique**. Les enfants perdent ainsi leurs dents, les CARIES sont la conséquence d'une suralimentation glucidique, productrice d'acides. Les adultes voient leurs capsules articulaires rongées et font de l'ARTHRITE et du RHUMATISME ANKYLOSANT; d'autres font du RACHITISME (os tordus, raccourcis, déformations thoraciques, scoliose, etc.) et de l'OSTÉOPOROSE.Le système squelettique sert souvent malgré lui à reminéraliser le métabolisme.

8– Les signes avertisseurs de la maladie

Les signes avertisseurs de la prémaladie sont multiples. Pour les naturopathes, ces signes avertisseurs sont tous révélateurs de troubles fonctionnels légers causés par une accumulation de métabolites intermédiaires toxiques dans le système. Il y a début d'intoxication sans maladie définie.

Classification des signes avertisseurs

A–Les signes morphologiques

- Peau trop sèche ou trop grasse.
- Éruptions variées et courtes; acné.

- Chute et décoloration des cheveux.
- Tonicité musculaire réduite au niveau de l'abdomen.
- Augmentation du tissu adipeux et perte des formes normales.
- Effondrement de la silhouette par courbature des vertèbres.
- Iris taché.
- Langue crevassée.
- Varicosités, vergetures, cellulite.

B– **Les signes physiologiques**

- Odeur forte, sueur localisée et acide.
- Mauvaise haleine, salivation excessive.
- Respiration courte à l'effort.
- Appétit démesuré ou inexistant.
- Constipation ou diarrhée.
- Urine claire (blanche) ou trop brune.
- Craquement articulaire, durcissement.
- Perte de la souplesse vertébrale.
- Perte partielle ou totale du sommeil.

C– **Signes psychologiques**

- Agitation ou lassitude psychique.
- Inquiétude, préoccupation, idées noires.
- Découragement devant l'effort nouveau.
- Jalousie et mesquinerie (trouble du caractère).
- Perte de la mémoire et des souvenirs.
- Recherche des excitants ou des calmants.
- Sexualité exacerbée ou diminuée.
- Tics, manies.
- Insociabilité, égoïsme ou sensibilité exagérée.
- Anxiété, angoisse ou dépression nerveuse.

9- La maladie constituée

La maladie constituée exprime toujours des formes de défenses organiques. Les maladies aux symptômes violents, courts et généraux sont signes de haute vitalité (affections aiguës). Les maladies aux symptômes lents, longs et locaux sont ceux de basse vitalité (affections chroniques).

Toutes les maladies constituées, s'exprimant sur le mode très net de la défense, ont le caractère commun visant à solliciter énergiquement les émonctoires (**VOMISSEMENTS, DIARRHÉES, FIÈVRES, ÉRUPTIONS CUTANÉES, SUEURS, CRACHATS, URINE ÉPAISSE**) ou les annexes de ces émonctoires (nez, gorge, oreille, urètre, muqueuse digestive et vaginale).

Les maladies de défaillance, par saturation toxinique sans élimination, résultent d'un effort, d'une force vitale épuisée face à une masse considérable de substances étrangères. L'organisme n'ayant plus l'énergie suffisante pour en assurer les expulsions adopte des méthodes de neutralisation (**ENKYSTEMENT, TUMÉFACTION, SCLÉROSE, CANCER**).

Malgré toutes les maladies dont nous souffrons, sous quelques nombreux masques qu'elles se camouflent , leurs apparentes diversités n'ont en réalité qu'une seule et même origine, l'**intoxication progressive de tout l'organisme par saturation des mécanismes hépatiques et par diminution de nos facteurs vitaux (vitamines, minéraux et oligo-éléments).**

«Lhomme est ce qu'il mange.»

Hippocrate

3– La désintoxication cellulaire ou l'art de solliciter les émonctoires

Les cures de désintoxication et celles de revitalisation forment un **«tout» biologique**; elles se complètent. Il ne peut pas être question d'appliquer un procédé de revitalisation en négligeant toute cure de désintoxication. Inversement, toute cure de drainage doit s'achever par des pratiques revitalisantes.

Les sollicitations épuratives doivent porter sur les quatre émonctoires connus qui sont: la **peau**, les **reins**, l'**intestin** et les **poumons**. Le naturopathe dispose de moyens efficaces pour réaliser la désintoxication cellulaire et métabolique.

Toutes les indications sur ces cures sont succinctes et mériteraient d'être plus approfondies. Nous n'en donnerons que les grandes lignes.

1 — L'art de solliciter la peau

a– **La chaleur est le grand moyen d'activation cutanée**

Les bains hyperthermiques où la sudation devient abondante mettent en mouvement très énergiquement la couche basale, les glandes sudoripares et les glandes sébacées. Certaines huiles végétales aromatiques ainsi que toutes les plantes sudoripares peuvent être ajoutées à l'eau du bain pour favoriser l'élimination cutanée. Le sel de mer brut et les sels alcalins (bicarbonate de soude) sont également favorables. Ils élèvent la température de l'eau et neutralisent les acidités du sang.

b– **Les bains de sudation**

Les bains sauna sont un moyen rapide et efficace de désintoxication cutanée, car ils entraînent les acidités sanguines hors du corps.

c– **L'exercice modéré**

La sueur, obtenue à partir d'exercices physiques faits à l'intérieur ou grâce à la pratique de la marche rapide au grand air, constitue un excellent moyen d'élimination. Le mouvement brûle les **excédents de sucre**, il active la **circulation** et il provoque d'importantes **éliminations rénales, pulmonaires** et **intestinales.**

d– **Les plantes, les minéraux et les vitamines pour la peau**

Les plantes dépuratives sont nombreuses; elles ont pour principes actifs des molécules qui activent les **reins** et le **foie** pour désintoxiquer l'organisme, libérant ainsi la peau de ce rôle. Certains minéraux alcalins et certaines vitamines ont pour fonction de revitaliser ou d'oxyder les déchets du foie et des reins .

2– L'art de solliciter l'émonctoire pulmonaire

a– **Les plantes expectorantes, les minéraux et les vitamines**

Les plantes expectorantes ont pour rôle de provoquer l'**élimination des sécrétions** qui comaltent la muqueuse pulmonaire, freinant ainsi les échanges gazeux.

Certains minéraux et certaines vitamines spécifiques, parfaitement dosés, sauront renforcer les principaux organes de filtration des métabolites toxiques. Ils libéreront ainsi les poumons de leur tâche d'épuration.

b– Les huiles essentielles pulmonaires vaso-dilatatrices des capillaires

Ce sont des essences aromatiques naturelles qui, appliquées en onction sur la poitrine, provoquent le **décollement des sécrétions pulmonaires.**

3- L'art de solliciter l'émonctoire rénal

a– Les plantes diurétiques, les minéraux et les vitamines

Les plantes diurétiques ont pour rôle de stimuler la **fonction d'élimination des liquides en rétention** dans l'organisme ainsi que des substances toxiques indésirables.

Les minéraux et les vitamines peuvent renforcer le foie et les reins dans leurs fonctions d'élimination, abaissant ainsi la quantité de toxines diluées dans le métabolisme qui causent de la rétention d'eau ou de l'œdème.

b– L'eau distillée

L'eau distillée est plus électronégative que l'eau de source parce qu'elle est chimiquement pure et donc, plus capable de se charger en composés **minéraux inorganiques** nuisibles à l'organisme. Elle fixe les **métabolites intermédiaires** toxiques et les draine hors du corps. Elle est un **laxatif** doux et efficace. Elle **améliore la digestion** et l'**assimilation** de la nourriture. Nous recommandons de la consommer toujours en fonction de la soif comme tous les liquides, d'ailleurs.

4 — L'art de solliciter l'émonctoire intestinal

a– Les plantes dépuratives, les minéraux et les vitamines

Les intestins rejettent des matières fécales et avec elles, des déchets du métabolisme. Le transit intestinal est assuré principalement par un foie puissant qui sécrète une bile de bonne qualité et en bonne quantité d'une part et, ensuite, par l'action conjuguée des autres glandes digestives et des glandes à mucus de l'intestin.

Pour améliorer le transit intestinal, il est donc nécessaire de renforcer les glandes du système digestif, en particulier le foie, en rééquilibrant les minéraux et les vitamines intervenant dans leurs fonctions spécifiques. Les fonds acides d'estomac, les métabolites intermédiaires toxiques, les résidus formés en croûte de l'intestin grêle et du côlon seront neutralisés, entraînés et expulsés vers la sortie, par l'amélioration de la qualité de toutes les sécrétions du tube digestif.

Quelquefois, la muqueuse intestinale exige un nettoyage beaucoup plus énergique par l'absorption de plantes dépuratives sous forme de tisanes ou autres.

5 — Les plantes en phytothérapie

La phytothérapie est la science qui traite les maladies par l'usage des plantes. Les moyens de profiter des bienfaits de la phytothérapie sont divers: infusions, tisanes, poudre de plantes en gélule, teinture de plantes fraîches en formule-maison, jus de plantes en ampoules buvables, poudre de plantes à mélanger à son alimentation, bains, applications, etc.

La naturopathie utilise beaucoup les services de la phytothérapie. Les plantes contiennent tous les principes utiles à la santé. En effet, des analyses démontrent que chaque plante contient entre 30 et 150 composantes biologiques différentes, dans une harmonie végétale parfaite, concourant à régler un ou divers problèmes de santé.

Les plantes sont véritablement un trésor de santé. Voici une liste de quelques plantes avec leurs indications thérapeutiques.

LISTE DES PLANTES LES PLUS UTILISÉES

Angélique: manque d'appétit, digestion difficile, ballonnements, aérophagie, anxiété, émotivité, antispasmodique.

Anis: digestion difficile, ballonnements, incontinence d'urine, toux, asthme, catarrhe des bronches et de la gorge.

Aubépine: tonique cardiaque (3e âge), extrasystoles, angine de poitrine, hypertension, artériosclérose, insomnie.

Aubier de tilleul: calculs biliaires, cellulite, calculs urinaires, troubles coronariens.

Armoise: règles peu abondantes, douleurs menstruelles, ménopause.

Artichaut: problèmes de foie, excès de cholestérol, diurétique.

Baies de genévrier: dérangements stomacaux et intestinaux, diurétique.

Bardane: dépuratif, diurétique, excès de cholestérol, diabète, acné, dermatose, eczéma, psoriasis.

Basilic: insomnie, vertiges, mauvaise digestion, spasmes de l'estomac, troubles hépatiques, stimule l'appétit, diurétique.

Bouillon blanc: toux, bronchite, trachéite, inflammations respiratoires, sédatif.

Boldo: digestion difficile, sommeil difficile, engorgement du foie, constipation.

Bouleau: œdème, cellulite, calculs urinaires, goutte, arthritisme.

Bouton de bigaradier: angoisse, état dépressif, digestion difficile, problème pulmonaire.

Bourdaine: insuffisance hépatique, constipation.

Bourse à Pasteur: accélération de la coagulation du sang.

Busserole: cystites, urétrites, infections urinaires, coliques, néphrites.

Bourgeons de pin: bronchite, rhume, trachéite, sinusite, rhinite, grippe, toux, asthme.

Bruyère: cystite, urétrite, colibacillose urinaire, œdème, complications prostatiques.

Cerfeuil: goutte, rhumatisme.

Chiendent: diurétique, insuffisance biliaire, calculs biliaires, œdème des membres inférieurs, état inflammatoire des voies urinaires.

Citronnelle: digestion difficile, insomnie, nervosité, maux de gorge.

Églantier: carence en vitamine C (fatigue du printemps), refroidissement.

Estragon: apéritif, digestion lente, aérophagie, flatulences, parasites intestinaux, anorexie.

Eucalyptus: asthme, bronchite, rhume, sinusite.

Euphrasie: prévention de l'inflammation des tissus conjonctifs.

Fenouil: obésité due à l'angoisse, gaz intestinaux, digestion difficile, grippe, montée de lait difficile, cholestérol.

Fleurs d'oranger: calmant, somnifère, fatigue, crampes, insomnie causée par la nervosité.

Gentiane: augmente la sécrétion de la salive et des sucs gastriques, spasmes, tonique des nerfs.

Houblon: manque d'appétit, insomnie, nervosisme, règles difficiles ou douloureuses, ménopause.

Hysope: asthme, faiblesse de l'estomac, bronchite chronique, toux des fumeurs.

Laurier: inflammation et infection chronique des articulations, bronchite asthmatique.

Lavande: colite intestinale, rhumatisme chronique, laryngite, anémie, spasmes bronchiques et viscéraux, vertiges, névralgie, insomnie, angoisse, migraine, infection des voies respiratoires et urinaires.

Marjolaine: durcissement des artères, sciatique, digestion difficile, apéritif.

Marronnier d'Inde: varices, hémorroïdes, ulcère variqueux, jambes lourdes, couperose et tous les problèmes de mauvaise circulation.

Mauve: asthme, bronchite chronique, grippe, coliques.

Mélisse: nervosité,anxiété, tension nerveuse, mélancolie, insomnie, spasmes, infection urinaire, digestion difficile.

Menthe: Inflammation des artères, toux, stimulation des nerfs, nausées.

Millefeuille: ménopause, spasmes de l'estomac, hémorroïdes.

Noyer: irritations stomacales et intestinales, dépuratif.

Olivier: hypertension artérielle, diabète, diurèse insuffisante.

Ortie: goutte, taux d'urée élevé, odeurs corporelles, anémie, fatigue générale.

Passiflore: nervosité, angoisse, anxiété, troubles nerveux, insomnie.

Pissenlit: jaunisse, embarras de la bile, dartre, foie lent, obésité, calculs vésiculaires, constipation.

Plantain: bronchite, rhume, asthme, allergies.

Pensée sauvage: eczéma, acné, impétigo, dermatoses diverses.

Prêle: ongles et cheveux cassants, grossesse, fracture, artériosclérose, cholestérol, arthrose, vieillissement précoce.

Queues de cerise: diurétique, inflammation des voies urinaires, œdème, grippe, jaunisse, arthritisme, néphrite.

Reine des prés: diurétique, antirhumatismale, astringent, tonique; goutte, arthritisme, cellulite, obésité.

Romarin: asthme, fatigue, surmenage, spasmes et troubles digestifs, vertiges, foie lent.

Radis noir: troubles chroniques des voies biliaires, troubles digestifs avec constipation, bronchite.

Rose (pétales): constipation, eczéma, rhume des foins.

Salsepareille: affections urinaires, œdème, engorgement, grippe, rhumatisme chronique, arthrite rhumatoïde, psoriasis.

Sarriette: impuissance, fatigue intellectuelle, frigidité.

Sauge: surmenage physique et intellectuel, règles difficiles, trouble de la circulation, diabète, excès d'urée, bouffées de chaleur de la ménopause.

Séné: constipation, paresse intestinale.

Souci: œdèmes, troubles de la sécrétion biliaire.

Tilleul: insomnie, angoisse, fatigue, grippe, transpiration excessive, nervosité.

Thym: fatigue, anémie, manque d'appétit, coqueluche, maux de dents, grippe, maux d'estomac, mauvaise haleine, lumbago, régularisation des règles, bronchite chronique, toux quinteuse, infection intestinale, spasmes et troubles digestifs.

Valériane: anxiété, nervosité, insomnie, palpitations, surmenage, troubles d'origine nerveuse.

Vigne rouge: trouble de la circulation veineuse, varices, phlébite, état de congestion pelvienne, hémorroïdes, prostatite, diarrhée et dysenterie.

«L'humanité ne se sortira de sa languissante détresse que lorsqu'elle croira au naturisme, sans abandonner les avantages de la civilisation moderne mais dans l'observation, l'obéissance et l'amour des lois inhérentes à la vie.»

Dr Raymond Barbeau, Ph.D.,N.D.

4– La revitalisation par la nutrithérapie

La nutrithérapie est la science de la bonne alimentation; elle constitue la base même de la naturopathie. La nutrithérapie enseigne que pour être en santé, il faut manger, autant que possible, des aliments cultivés organiquement qui fournissent un maximum de vitalité et donc, une prévention réelle contre les problèmes de santé.

Nous vivons à une époque où la grande majorité des gens peuvent bénéficier d'une bonne santé s'ils veulent collaborer avec la nature. Ceux qui font preuve de **jugement** et de **compréhension**, en prenant soin de leur santé, peuvent espérer être bien portants au-delà des normes fixées.

Nous savons maintenant que l'alimentation «ordinaire» ou commerciale conduit l'humain vers la **dégénérescence**, la **maladie** et la **mort prématurée**. L'harmonie des constituants et l'énergie vitale des aliments raffinés sont presque totalement détruites par diverses manipulations industrielles qui font d'un aliment vivant un aliment mort. Notre nourriture ainsi dénaturée est antiphysiologique et ne convient plus à la santé. Ces «faux» aliments sont producteurs d'une masse énorme de déchets qui contribuent à l'intoxication graduelle de chacune de nos cellules, de nos tissus et de nos organes. De plus, ils sont générateurs de graves carences alimentaires. Ces deux phénomènes déterminent, par la suite, nos maladies fonctionnelles et, enfin, nos maladies dégénératives.

Un **aliment naturel et biologique** est un aliment qui vient d'une terre cultivée **sans engrais chimique** et sur laquelle il n'y a pas eu déversement de **pesticides**, de **fongicides**, de **nématocides**, etc. C'est un aliment qui ne contient **aucun préservatif chimique, d'améliorants**, ni de **vitamines synthétiques.** C'est un aliment **non raffiné, non traité** et **non irradié**, c'est-à-dire qu'il se présente sous la forme la plus brute possible. C'est un aliment vivant qui contient des éléments en synergie parfaite (minéraux, vitamines, oligoéléments, etc.). De plus, c'est un aliment qui est doué d'un potentiel vibratoire énergétique, bioélectrique qui caractérise la vie et il agit par un phénomène d'induction sur nos cellules.

La nutrithérapie est, entre les mains du naturopathe expérimenté, un outil très précieux de revitalisation cellulaire. La nutrithérapie doit, en pratique, s'adapter à chaque type de problèmes de santé et à chaque individu. Ce qui est bénéfique pour l'un ne l'est pas nécessairement pour l'autre. Nous ne pouvons traiter dans ce livre des ajustements alimentaires en fonction des anomalies métaboliques, car ce travail d'investigation relève de la consultation.

Nous aborderons plutôt la nutrithérapie de façon générale en dressant les grandes lignes de ce qui devrait être une **alimentation optimale.**

Idéalement, l'alimentation devrait être constituée à 70% de fruits et de légumes frais, biologiques et crus autant que possible; à 30% de fromage maigre (surtout le Damablanc), de yogourt, d'œufs biologiques, de noix crues, de céréales germées, de graines oléagineuses, de céréales biologiques, de volaille biologique, de viande biologique et de poissons.

Les céréales (et leurs dérivés) doivent être limitées autant que possible ou consommées à l'état de germes (protéines). Une trop grande consommation d'amidon (céréales), à la manière des granivores qui sont pourvus d'un jabot utile à la dextrinisation, est un grand risque pour nous de fermentation et de production excessive d'acide lactique causées par l'augmentation massive de glucose intracellulaire. Il se produit usure et saturation des réactions enzymatiques dépassant le stade de l'**ACIDOSE MÉTABOLIQUE** pour conduire à l'**ARTHRITE**, à l'**HYPOGLYCÉMIE**, au **DIABÈTE**, aux **DERMATOSES**, etc. Les régimes exclusivement basés sur les céréales comportent des risques certains de déminéralisation.

D'autre part, trop d'azote (viande) est également un danger parce que notre foie et nos reins sont incapables de neutraliser et d'éliminer les excédents d'acides aminés à la manière des carnivores (lion, tigre) qui urinent l'ammoniaque. Il en résulte des déchets (uriques et uréiques) corrosifs pour plusieurs tissus et, en particulier, pour les cartilages, les boîtes synoviales, les os et les dents, créant ainsi de **L'ARTHRITE**, des **CARIES DENTAIRES**, de **L'ARTHROSE**, du **RHUMATISME**, de la **GOUTTE**, etc. Un régime essentiellement basé sur la viande n'est pas conseillé.

Ceux qui s'imaginent que le sucre est nécessaire à la santé seront sûrement surpris d'apprendre que notre organisme n'a pas, à proprement parler, de besoin glucidique. Il existe cependant un **besoin d'azote** (acides aminés essentiels, protéines) pour la construction de nos protéines ainsi qu'un **besoin de lipides** (acides gras essentiels), mais **il n'existe pas de besoin de glucides (sucres)**. En effet, l'organisme peut en tout temps synthétiser les glucides entrant dans ses structures moléculaires à partir des acides aminés (protéines) et du glycérol (lipide ou graisse). C'est pourquoi il n'est pas nécessaire d'inclure des hydrates de carbone dans la diète, les glucides se trouvant déjà en abondance dans les végétaux (fruits et légumes). Donc, la réduction quantitative des hydrates de carbone (céréales, pain, pâtes, riz, etc.) est importante pour le maintien d'une bonne santé.

De façon générale, on pourrait dire que la **réduction quantitative** de la nourriture est essentielle pour la prévention des maladies (digestives, articulaires, cardiovasculaires, etc.) dites chroniques. En effet, les états carentiels s'observent surtout au cours de la suralimentation. **La réduction quantitative de la nourriture est donc un facteur essentiel pour une longévité active.**

Pour s'initier progressivement à l'alimentation naturiste et biologique, nous énumérons une liste d'aliments naturels qui pourront remplacer graduellement les aliments chimifiés du commerce. Pour être en santé, il faut consommer une nourriture vivante, car **seule la vie donne la vie.**

Être en santé ce n'est plus un mystère, il suffit de consommer une nourriture naturelle, vivante et autant que possible biologique (comme nos ancêtres). Voici donc les premiers changements alimentaires à effectuer lorsque l'on désire retrouver ou conserver sa santé. Ces changements se feront graduellement, en fonction du niveau de santé que l'on voudra atteindre.

ALIMENTATION MALSAINE qui déminéralise et intoxique	**ALIMENTATION SAINE** qui reminéralise et régénère
FARINE blanche «raffinée»	**FARINE** blanche non blanchie biologique
FARINE blé entier «chimique»	**FARINE** blé entier biologique
PAIN blanc «raffiné»	**PAIN** blanc farine non blanchie
PAIN blé entier «chimique»	**PAIN** blé entier biologique
HUILE végétale «hydrogénée» (pressée à chaud, préservatifs, etc.)	**HUILE** végétale vierge (première pression à froid)
SUCRE blanc «raffiné» **CASSONADE** «raffinée»	**SUCRE** de canne brut (canne à sucre concassée)
PÂTES alimentaires «chimiques» (farine raffinée)	**PÂTES** alimentaires (farine naturelle)
ŒUFS non biologiques (de poules mal nourries)	**ŒUFS** biologiques (de poules nourries aux grains)
VOLAILLE de commerce (élevée aux hormones et aux antibiotiques)	**VOLAILLE** biologique (nourrie aux grains)
FRUITS ET LÉGUMES du commerce(culture chimique, herbicides, pesticides, etc.)	**FRUITS ET LÉGUMES** biologiques (culture biologique)
JUS de fruits et de légumes (culture chimique, préservatifs, agents antimousseux, etc.)	**JUS** de fruits et de légumes biologiques (culture biologique)
FROMAGE pasteurisé (colorants, préservatifs, etc.)	**FROMAGE** au lait cru (fabriqué naturellement)
YOGOURTS aux fruits du commerce (sucrés au sucre blanc raffiné)	**YOGOURTS** aux fruits (sucrés au miel naturel)
CRÈME glacée chimique (sucrée au sucre blanc raffiné, préservatifs, améliorants, colorants, etc.)	**CRÈME** glacée naturelle (sucrée au miel)
ÉPICES irradiées	**ÉPICES** non irradiées

CACAO ou chocolat (caféine)	**CAROUBE** en poudre
POUDRE à pâte du commerce	**POUDRE** à pâte naturelle (sans alun)
RIZ blanc (raffiné, déminéralisé culture chimique)	**RIZ** brun biologique
CÉRÉALES sucrées du matin (sucre blanc, préservatifs, vitamines synthétiques, colorants)	**CÉRÉALES** entières, biologiques(granola, avoine, millet, etc.)
CONFITURES sucrées au sucre blanc raffiné, préservatifs, colorants, etc.)	**CONFITURES** aux fruits de culture biologique, non sucrées ou sucrées au miel
FÉCULE de maïs	**FÉCULE** d'amaranthe
MAYONNAISE du commerce	**MAYONNAISE** naturelle (huile pressée à froid, sans additif chimique)
LAIT de vache (homogénéisé, vitamines synthétiques A et D, etc.)	**LAIT** de chèvre (non homogénéisé, sans additif)
PÂTISSERIES, confiseries et desserts du commerce (colorants, saveurs et couleurs artificielles, préservatifs et améliorants, sucre raffiné)	**PÂTISSERIES**, confiseries et desserts naturistes (farine entière, sucre brut, sans préservatifs ni colorants artificiels)
etc.	etc.

Le pain de blé entier biologique

Il s'agit d'un pain fait uniquement avec des ingrédients sains, c'est-à-dire avec du blé cultivé biologiquement, de l'eau de source, du sel de mer, de l'huile végétale pressée à froid, des levures naturelles ou du levain. De plus, le pain naturel ne contient aucun préservatif, c'est pourquoi, dans les magasins d'alimentation naturelle, il est conservé au réfrigérateur. Ce pain ne se compare en rien avec le pain de blé entier vendu dans le commerce qui, en fait, **trompe les gens**, car il n'est guère mieux que le pain blanc.

Le sucre brut

Le sucre brut naturel est extrait de la canne à sucre sans être, par la suite, raffiné. Le sucre blanc du commerce est, pour sa part, raffiné dans ses composantes (sels minéraux, cellulose, diastases, vitamines, etc.); c'est un sucre irritant pour les muqueuses digestives. Il surmène le foie et le pancréas et il contribue à la constipation et à la déminéralisation des os, des muscles et des nerfs. Biologiquement, le sucre brut est acceptable pour l'organisme alors que le sucre blanc ou la cassonade doivent être éliminés complètement de l'alimentation. **Le sucre blanc a fait plus de morts à lui seul que toutes les pestes réunies.** Il ruine littéralement notre capital santé, et ce, depuis des générations.

Le miel naturel

Le miel naturel n'est **ni chauffé, ni pasteurisé** comme le miel commercial qui a perdu ses nutriments essentiels. Le miel naturel contient beaucoup d'enzymes et de ferments qui activent nos réactions métaboliques, c'est pourquoi il est l'aliment le plus énergétique. Cependant, on doit le consommer seul ou au coucher. On retrouve, d'ailleurs, dans la nature différents types de miel dont les propriétés diffèrent avec leur provenance.

- **Miel de lavande**: antispasmodique, antirhumatismal, recommandé pour les AFFECTIONS DES VOIES RESPIRATOIRES.
- **Miel de romarin**: antispasmodique, recommandé pour les AFFECTIONS DU FOIE, les PROBLÈMES DE SURMENAGE PHYSIQUE et INTELLECTUEL.

- **Miel de tilleul**: sédatif, antispasmodique, recommandé pour les **INSOMNIES** et les **PROBLÈMES CARDIAQUES**.
- **Miel de sarrasin**: reconstituant, recommandé pour la **FATIGUE**.
- **Miel de thym et de serpolet:** ce miel est un puissant **DÉSINFECTANT**.

Les huiles végétales vierges

Les huiles végétales naturelles doivent être de **première pression à froid**, c'est-à-dire **vierges**. Les huiles commerciales, par contre, sont des huiles hydrogénées, chauffées, désodorisées, raffinées, décolorées et contenant des solvants chimiques. Elles sont dévitalisées, inertes et dangereuses pour la santé, car elles détruisent, entre autres, notre vitamine E.

- **Huile d'olive**: taux d'acides gras insaturés de 15%; elle renferme plusieurs vitamines et minéraux; elle est recommandée dans les troubles du **FOIE** et de la **VÉSICULE BILIAIRE: JAUNISSE, COLIQUES, CALCULS BILIAIRES, CONSTIPATION, FLATULENCES**.
- **Huile de sésame**: taux d'acides gras insaturés de 42%; elle contient les vitamines E et F ainsi que de la lécithine. On l'utilise dans les affections du **FOIE** et de la **VÉSICULE BILIAIRE** et pour soigner l'**ANÉMIE**; elle stimule les fonctions du **CŒUR**.
- **Huile de soya**: taux d'acides gras insaturés de 52%; elle contient les vitamines B, E et F, beucoup de minéraux et de la lécithine. Elle est recommandée pour les **NERFS**, le **SURMENAGE**, la **CONSTIPATION** et l'**OBÉSITÉ**.
- **Huile de maïs**: taux d'acides gras insaturés de 53%; elle contient d'excellentes vitamines et elle est

recommandée pour le **CHOLESTÉROL** en excès, les **FRISSONS**, la **MAIGREUR**, l'**ECZÉMA** et la **PEAU SÈCHE**.

- **Huile de tournesol:** taux d'acides gras insaturés de 63%; elle contient beaucoup de vitamine B_{12}; elle est recommandée contre l'**ANÉMIE**.
- **Huile de carthame ou de safran:** taux d'acides gras insaturés de 72%; il s'agit de l'huile la plus riche en acide linoléique. Elle est recommandée pour les problèmes **CARDIO-VASCULAIRE**, de **CHOLESTÉROL**, d'**OBÉSITÉ**, et pour la **CROISSANCE** des enfants.
- **Huile de noix mélangées:** taux d'acides gras insaturés de 75%; elle est riche en vitamines B et F et en sels minéraux: potassium, soufre, fer, etc. Elle est recommandée pour soigner les **MALADIES CARDIO-VASCULAIRES**, l'**ANGINE DE POITRINE**, le **CHOLESTÉROL**, l'**ANÉMIE**, la **TUBERCULOSE** et les **MALADIES DÉGÉNÉRATIVES**.

Volaille de grain

Cette volaille est une viande d'un goût et d'une qualité incomparable. Son alimentation est constituée de céréales et de soya; aucune matière grasse comme le gras animal, la farine de poisson ou la farine de viande n'est utilisée. De plus, aucun antibiotique n'est donné soit pour faciliter la croissance ou pour économiser des aliments; il en est de même pour les antioxydants (de type B.H.T.), les émulsifs, les stabilisants, les épaississants, les gélatinisants, tels les ligno-sulfites, ainsi que les colorants. Cette volaille est une viande saine et recommandée.

Fromages biologiques

Ce sont des fromages faits avec du lait cru, sans colorant, sans préservatif ou améliorant chimique. Le lait cru est le lait vivant, non chauffé, non pasteurisé, non additionné de vitamines synthétiques. Il est le seul lait à contenir tous les nutriments essentiels à sa digestion et à l'assimilation du précieux calcium.

Céréales et farines biologiques

Les céréales et leurs farines biologiques sont cultivées de façon organique, sans engrais chimique et sans pesticide. Comme ils n'ont reçu aucun traitement chimique de conservation, on doit les garder au frais. Ce sont des céréales et des farines vivantes. Les farines biologiques ne se comparent en rien avec les farines commerciales, même celles dites de blé «entier». Tout comme pour le pain de blé commercial, les farines commerciales sont une supercherie alimentaire.

- **Avoine**: elle contient des sels minéraux: fer, sodium, calcium, magnésium, phosphore. Elle est **diurétique**, **laxative**, **stimulante** et **réchauffante**. L'avoine peut être consommée sous forme de gruau, de farine, de croquettes ou incorporée dans des recettes. Comme il s'agit d'une céréale acidifiante, il faudra en user modérément.
- **Blé**: il contient une grande variété de sels minéraux: calcium, sodium, potassium, magnésium, soufre, chlore, silicium, fluor, cobalt, iode, arsenic, etc. , et plusieurs vitamines importantes: A, B_1, E, B_{12}, PP, etc. On le consomme surtout sous forme de pain, de pâtisserie ou de crème de blé au petit déjeuner.
- **Maïs**: c'est un aliment **énergétique**, **nutritif** et **reconstituant**. A l'inverse de l'avoine qui réchauffe l'organisme l'hiver, le maïs est la céréale des pays chauds.
- **Millet**: il est riche en vitamine A et en phosphore et il contient les sels minéraux suivants: magné-

sium, fer, silice, fluor, manganèse. Le millet est la céréale la plus riche en vitamines du groupe B; il est, de plus, l'une des seules céréales à ne pas acidifier l'organisme. D'assimilation facile, il convient aux personnes allergiques à d'autres céréales. C'est la céréale idéale contre la **FATIGUE INTELLECTUELLE**, la **DÉPRESSION NERVEUSE** et l'**ANÉMIE.**

- **Orge**: elle contient du phosphore, du fer, du calcium, du magnésium. Elle est utilisée sous forme de flocons ou de farine d'orge. Elle entre dans la composition de plusieurs variétés de cafés de céréales.
- **Riz**: il est riche en vitamines A et B et en minéraux: phosphore, potassium, sodium, chlore, soufre, magnésium, calcium, fluor, zinc, fer, manganèse, iode.
- **Sarrasin**: il est riche en vitamines C, E et B et en sels minéraux: calcium, sodium, magnésium, phosphore, fer, fluor. Le sarrasin contient plus de calcium que le blé.
- **Seigle**: céréale légèrement laxative qui assouplit les artères et active la circulation. C'est un excellent fluidifiant sanguin conseillé dans les cas d'**HYPERTENSION.**

Les œufs biologiques

Les œufs biologiques proviennent de poules pondeuses nourries aux céréales biologiques certifiées et à l'eau de source. Elles ne reçoivent aucune hormone, aucun antibiotique et aucune moulée commerciale. Leur environnement est également nettement différent des poules ordinaires. Elles ne sont pas soumises aux rudes conditions de stress, de l'air vicié des poulaillers, des lumières artificielles 24 heures par jour et de l'élevage à la chaîne. Les poulaillers sont construits de façon à ventiler parfaitement l'air ambiant et les poules vont dehors aussi souvent que le climat le leur permet; de plus, elles dorment la nuit.

Seule une poule en bonne santé peut pondre un œuf sain, riche en éléments nutritifs. Les œufs biologiques contiennent des protéines, des minéraux, des ferments anaboliques et cataboliques, des enzymes, des hormones, des vitamines de croissance dans un plus grand rapport que tous les autres œufs. Leur coquille est plus dure, le jaune de l'œuf est orangé et le blanc de l'œuf est plus dense. Quant au goût, il est incomparable! L'œuf biologique est un aliment de croissance et de reconstitution extrêmement précieux.

Lait de chèvre — Lait de vache

Le lait de chèvre est beaucoup plus digestible que le lait de vache; c'est pourquoi nous le privilégions. En effet, la taille des protéines du lait de chèvre est 5 fois plus petite que celle du lait de vache, ce qui le rend beaucoup plus assimilable. Ce lait ne nécessite aucune homogénéisation, les particules de gras se trouvant naturellement mêlées aux autres composantes du lait.

Les risques de **MUCUS**, d'**INFECTIONS**, d'**ECZÉMA** ou d'**OTITES** chez l'enfant sont considérablement diminués s'il boit du lait de chèvre plutôt que du lait de vache. De par sa composition, le lait de chèvre est le lait qui se rapproche le plus du lait maternel.

Le lait de vache contient du calcium, certes, mais un calcium qui ne s'assimile pas du tout, car le triphosphate de **calcium-magnésium-carbone,** sel minéral indispensable à l'édification de l'os, se décompose, avec la technique moderne de pasteurisation, en trois sels qui sont le **phosphate de calcium**, le **phosphate de magnésium** et le **carbonate de calcium** qui sont totalement insolubles et presque inutiles. Quant aux grosses protéines du lait de vache, elles coagulent précipitamment avec les sels minéraux et sont donc inassimilables. De plus, on y ajoute des vitamines synthétiques A et D et bien d'autres choses.

L'eau distillée

L'eau distillée, c'est de l'eau pure à 100%. Elle est limpide, inodore et sans saveur. Elle est exempte de tous les polluants de quelque nature que ce soit et elle ne contient aucun minéral inorganique inutilisable par l'organisme humain.

En effet, contrairement aux végétaux qui se nourrissent de minéraux inorganiques du sol en les transformant en minéraux organiques par la photosynthèse, l'organisme humain ne peut pas assimiler ces derniers contenus dans les eaux d'aqueducs, de source ou dans les eaux minérales. Ces minéraux n'ont alors d'autres voies que de se déposer autour des veines, des artères, des intestins et des reins (calculs rénaux), ce qui **sclérose** le métabolisme.

L'eau distillée, de par son grand pouvoir de dissolution, s'appropie les minéraux inorganiques qui stagnent autour de nos tissus et elle prévient donc le **DURCISSEMENT DES ARTÈRES**, les **DÉPÔTS CALCAIRES**, les **CALCULS RÉNAUX**, etc. L'eau distillée opère un véritable **nettoyage** du métabolisme. Cependant, elle ne peut pas déloger les minéraux organiques étroitement liés à nos tissus, c'est-à-dire à la matière vivante. Ceux qui pensent que l'eau distillée peut déminéraliser l'organisme ne tiennent pas compte de l'importante distinction qu'il faut faire entre les minéraux inorganiques qui peuvent encrasser notre organisme et les minéraux organiques qui agissent au sein même de nos cellules.

L'eau distillée, qui est le meilleur des **laxatifs** naturels, **augmente le taux d'assimilation** de la nourriture, **normalise ainsi l'appétit**, **nettoie** le métabolisme de tous les dépôts de minéraux inorganiques et **hydrate** la peau en profondeur. Elle est la meilleure eau que l'on puisse boire. Dans l'alimentation, elle donne des boissons chaudes ou froides, des potages et des soupes beaucoup plus savoureux à cause de son plus grand pouvoir de dissolution.

Jus de fruits et de légumes biologiques

Il est important que les jus de fruits et de légumes soient faits avec des fruits et des légumes biologiques. Si vous ne pouvez les faire vous-mêmes au moyen d'un extracteur à jus, procurez-vous des jus biologiques dans les magasins d'alimentation naturelle. Sinon, vous boirez des jus pauvres en vitamines et minéraux et contenant des préservatifs, des herbicides, des insecticides, des fongicides, des nématocides, etc.

Les jus de fruits et de légumes biologiques sont des boissons de protection capables de jouer un rôle thérapeutique d'une grande importance. Qu'il s'agisse de surmenage, de constipation, de nervosité, de problèmes hépatiques ou autres, les jus biologiques sont des boissons riches en enzymes, en sels minéraux et en vitamines. Ils favorisent l'élimination des toxines en douceur.

- **Jus d'abricots**: il contient les vitamines A, B, C, du magnésium et du potassium. Il est recommandé aux gens **NERVEUX**, **FATIGUÉS** et aux **CARDIAQUES**.
- **Jus de canneberges**: il contient beaucoup de vitamine C. Il est recommandé comme antibiotique pour les **INFECTIONS URINAIRES**, la **FIÈVRE**,

les **PROBLÈMES DU FOIE**, des **REINS** et les **DERMATOSES.**

- **Jus de cassis:** Il est un puissant diurétique et un dépuratif. On l'utilise dans les cas de **RHUMATISME**, de **TROUBLES GASTRIQUES**, de **RÉTENTION D'URINE**, de **GOUTTE**, d'**ENGORGEMENT DU FOIE** et de la **RATE.**
- **Jus de prunes:** c'est un jus laxatif, antiputride, antifermentescible et désintoxicant. Il est recommandé contre la **CONSTIPATION**, l'**ŒDÈME**, la **CIRCULATION DÉRÉGLÉE** et l'**ENGORGEMENT DU FOIE.**
- **Jus de raisins rouges:** il est recommandé comme **vivifiant, rajeunissant, désintoxicant**; il est **énergétique, diurétique** et **antirhumatismal.**
- **Jus de raisins verts:** il contient des vitamines B et C ; il est riche en glucide, en soufre. C'est un jus désintoxicant, énergétique, diurétique et antirhumatismal. Il est recommandé contre la **FATIGUE** et les **MALADIES DU FOIE.** Il s'agit du jus le plus précieux puisqu'il contient de la chaux, de la soude, du magnésium, du fer, du manganèse, de la silice et du chlore (organique).
- **Jus de coings:** riche en vitamines A et B. Il est recommandé comme **antidiarrhétique, antihémorragique** et pour le **drainage utérin.**
- **Jus de betteraves:** il est très riche en vitamines A, B et C. C'est un jus tonique, énergétique, car il est très nourrissant. Il calme le système nerveux. Il est conseillé dans les cas d'**ANÉMIE**, de **MONONUCLÉOSE**, de **GRANDE FATIGUE**, de **DÉMINÉRALISATION.** Enfin, il renferme du rubidium qui facilite la digestion.
- **Jus de carottes:** il contient les vitamines A, B et C et une provitamine, la carotène qui se transforme

en vitamine A dans le foie. La carotène est un puissant rajeunisseur cellulaire. Le jus de carottes est la boisson par excellence dans les affections du foie, car il liquéfie la bile et augmente la quantité de bile sécrétée. Il est conseillé pour les problèmes de **RHUMATISME**, d'**INTOXICATION**, d'**AFFECTIONS DU FOIE**, de **CONSTIPATION**. Finalement, il renforce les fonctions de défense contre les **INFECTIONS**.

- **Jus de chou:** il contient les vitamines A, B et C, du soufre, du calcium, de l'iode et de la chlorophylle. Le jus de chou stimule la fonction intestinale, **désinfecte l'intestin**, donne de la **vitalité**, combat les **problèmes de peau** et **cicatrise** très bien les **ULCÈRES D'ESTOMAC**.
- **Jus de pommes de terre**: il contient les vitamines B et C, des sels minéraux et des hydrates de carbone. Il est recommandé aux **ARTHRITIQUES**, aux **DÉMINÉRALISÉS**, aux gens **NERVEUX** et aux personnes souffrant d'**INSUFFISANCES RÉNALES**. Le jus de pomme de terre est un antiacide pour les **BRÛLEMENTS D'ESTOMAC** ou les **ULCÈRES**.

Jus de fruits et de légumes fraîchement pressés

Les jus de légumes et de fruits fraîchement pressés à l'extracteur offrent beaucoup d'avantages pour la santé. En effet, les légumes mangés crus ne sont assimilés qu'à 15% de leur valeur nutritive, tandis que sous forme de jus, leur taux d'assimilation atteint les 90%.

Grâce aux jus fraîchement pressés (à l'extracteur):

* on **désintoxique** l'organisme en le nettoyant des toxines accumulées;
* on **reminéralise** le métabolisme par un apport considérable en minéraux;

* on **revitalise** tout le corps par le renouvellement des vitamines et des enzymes;
* on **combat l'acidose métabolique**, cause de la plupart des maladies.

Il est recommandé de boire un à deux verres de 175 ml de jus de légumes ou de fruits frais chaque jour.

Pour que les jus aient plus de valeur, il faut les boire au plus tard 48 heures après les avoir extraits des fruits ou des légumes.

Il est toujours très avantageux de prendre des jus de légumes combinés ou de fruits combinés plutôt qu'une seule sorte à la fois, et ce, en vertu de leur effet synergétique, c'est-à-dire de la multiplication de leurs propriétés respectives.

Voici quelques recettes simples de **jus frais** ainsi que leur effet thérapeutique.

* **Foie**: 500 ml de jus de carottes + 200 ml de jus de radis noirs
* **Insomnie**: 500 ml de jus de carottes + 200 ml de jus de céleri
* **Psoriasis**: 225 ml de jus de carottes + 225 ml de jus de betteraves + 225 ml de jus de concombres anglais
* **Nervosité**: 225 ml de jus de carottes + 225 ml de jus de céleri + 225 ml de jus de persil
* **Obésité**: 225 ml de jus de carottes + 225 ml de jus de betteraves + 225 ml de jus de concombres anglais
* **Diarrhée**: 225 ml de jus de carottes + 225 ml de jus de céleri + 225 ml de jus de pommes
* **Anémie**: 175 ml de jus de carottes + 175 ml de jus de céleri + 175 ml de jus de épinards + 175 ml de jus de persil

* **Ulcère d'estomac:** 500 ml de jus de chou + 200 ml de jus de carottes
* **Acidité estomac:** 500 ml de jus de pommes de terre crues + 200 ml de jus de carottes

La caroube

La caroube est le fruit du caroubier, arbre originaire des pays du Moyen-Orient. Sa culture ne nécessite pas l'usage de fertilisants ni de produits chimiques contre les insectes ou la maladie.

La gousse du caroubier renferme des fèves de la taille et de la forme d'une gourgane dont la pulpe est séchée, broyée puis torréfiée et pulvérisée. La poudre de caroube est un produit naturel: elle ne contient aucun additif chimique. Elle est riche en calcium, en fer, en potassium, en vitamines A et B. Elle se substitue au cacao et au chocolat dans toutes les recettes. De plus, la caroube est excellente contre la diarrhée.

Le sel de mer brut

Le sel de mer brut est obtenu par l'évaporation de l'eau de mer au soleil des salines. Il est généralement de couleur gris ou «blanc foncé» et il est légèrement humide.

Le sel de mer brut est un aliment d'une très grande valeur nutritive. Il est composé de tous les minéraux et les oligo-éléments que la mer contient et dont l'organisme a besoin. La base de la santé étant un bon équilibre minéral, on l'introduira sous forme de sel de mer gris, riche en minéraux, en oligo-éléments et en traces de plancton et d'algues. C'est en effet le moyen le plus simple que nous ayons, actuellement, d'échapper aux carences dues à la pauvreté des sols...

La mer est cet étonnant milieu organique d'une richesse minérale incomparable où s'est développée la vie. Le sel de mer brut est, en fait, un vrai cocktail de minéraux et d'oligo-éléments. Il apporte la vie en permettant le passage des éléments vitaux vers nos cellules. Il éloigne les infections en activant le système immunitaire, il augmente la qualité de nos sécrétions digestives et il reminéralise l'organisme en entier.

En usage externe, le sel de mer brut est utilisé dans le bain pour activer la circulation sanguine et accélérer l'élimination des acides métaboliques toxiques. Il est fortifiant, stimulant et désintoxiquant. De plus, on l'utilise en gargarisme pour les maux de gorge et en lavement pour désinfecter n'importe quelles plaies.

Le sel gemme ou sel blanc du commerce vient d'un milieu inorganique. En effet, il est puisé dans des mines de sel à environ 250 mètres de profondeur, là où toute vie est inexistante. Pour le rendre «propre à la consommation», l'industrie lui fait subir plusieurs étapes de raffinage et un chauffage suivi d'un refroidissement pour uniformiser la taille des cristaux. Ces cristaux sont ensuite combinés avec certains additifs tels que l'iodure de potassium, le glucose, le bicarbonate de soude et le silico-aluminate de sodium pour garder les grains secs. Ce sel qui n'est que du chlorure de sodium (NaCI) raffiné est totalement incompatible avec notre structure moléculaire et ne peut donc pas être recommandé pour la santé.

«Seuls les aliments naturels peuvent bâtir un corps naturel.»
Dr Robert G. Jackson, M.D.

Indications supplémentaires

- Pour vous aider à devenir un vrai naturiste, procurez-vous des livres de recettes en alimentation naturelle.

- Rappelez-vous que seule la vie donne la vie; votre nourriture doit être le plus vivante possible et donc provenir de l'agriculture organique ou biologique.
- Ne faites pas d'exercice physique avant ou après les repas; attendez au moins deux heures.
- Ne mangez jamais si vous n'avez pas faim.
- Essayez de toujours rester un peu sur votre appétit à la fin des repas, pour une meilleure digestion.
- Ne mangez jamais entre les repas pour reposer votre système digestif et pour favoriser l'élaboration d'une bile de bonne qualité et en bonne quantité. Cette bile concentrée permet d'améliorer la digestion et l'assimilation du prochain repas.
- Ne mangez pas d'aliments réchauffés ou trop cuits.
- Privilégiez les crudités biologiques à chaque repas; elles préviennent l'état de fatigue par leurs vitamines et minéraux.
- Mangez les fruits de préférence avant vos repas; ils sont d'excellents appéritifs.
- Ne mangez pas une trop grande variété d'aliments au même repas, surtout si vous avez des difficultés digestives.
- Si vous faites de l'acidité, diminuez les aliments acidifiants et privilégiez les aliments alcalinisants.

ALIMENTS ACIDIFIANTS:

sucre blanc, cassonade, miel, sucreries, confitures, colorants artificiels, conservants chimiques, café, thé, liqueurs douces, chocolat, alcool, marinades, sauce soya, citron, orange, pamplemousses, mandarines, clémentines, ananas, rhubarbe, fraises, raisins verts, pommes au goût sûr, tomates, épinards, betteraves, lentilles, pois cassés, fèves rouges, fèves soya, pois chiches, avoine (gruau), blé, seigle, sarrasin, charcuterie, l'excès de viandes, l'excès d'œufs, l'excès de céréales, beurre chauffé, fruits séchés.

ALIMENTS ALCALINISANTS:

tapioca, riz organique, millet, orge, luzerne germée, amandes, noisettes, noix de coco, carottes, concombre, céleri, poivrons verts et rouges, persil, laitue romaine, laitue boston, pommes de terre, poireaux, avocat, olives, citrouilles, courges, brocoli, asperges, chou-fleur, navet, pommes jaunes, pommes poires, poires, bananes, mangues, papayes, melon, pastèques, raisins rouges, fromage «Quark», fromage «Damablanc», fromage «Cottage», lait de chèvre, luzerne, algues marines, jus de légumes verts.

Voici un menu naturiste qui a été préparé à l'intention de tous ceux et celles qui désirent adopter un mode de vie alimentaire sain, pour se renforcer, pour se régénérer, pour se désintoxiquer et pour maintenir la vitalité.

MENU SANTÉ-DÉJEUNER

Au lever: un verre d'eau distillée ou de jus de fruits ou de légumes biologiques avec les suppléments alimentaires recommandés.

Fruits frais (au choix): banane, pomme, poire, pêche, nectarine, papaye, kiwi, raisins rouges, cerises, bleuets, framboises, pruneaux, mangue (si permis: orange, clémentine, pamplemousse, fraises, ananas, raisins verts).

N.B.: Les fruits acides ne doivent pas être consommés plus de 2 fois par semaine, car ils sont un peu déminéralisants.

Quelques noix (au choix): amandes, noisettes, noix du Brésil, pignons de pin, acajous, graines de tournesol, de sésame, de citrouille, pacanes.

Pain biologique: rôties de pain biologique, beurre cru ou beurre de noix naturel: arachides, amandes, sésame.

Vous pouvez ajouter un de ces aliments: yogourt de chèvre, fromage «Quark» «Damablanc» «Cottage», cheddar biologique, gruyère, emmental, suisse, havarti, edam, mozarella,

ou un ou deux œufs biologiques

ou déjeuner SANTÉ «Polinal» (voir recette en annexe)

ou céréales naturelles si permises: gruau, crème de blé,céréales biologiques préparées (pas de sucre, ni cassonade, ni miel, afin d'éviter les fermentations intestinales).

Boissons: café de céréales, thé naturel, tisanes recommandées ou lait de chèvre.

MENU SANTÉ — DÎNER

Avant: un verre d'eau distillée ou de jus de légumes biologiques avec les suppléments alimentaires qui vous sont recommandés.

Entrée: soupe aux légumes maison, potage ou bouillon maison

ou

1/2 avocat avec mayonnaise naturelle

ou

petite salade de luzerne germée ou de crudités avec assaisonnements.

Plat principal: poisson frais ou congelé: saumon, aiglefin, goberge, éperlan, flétan, hareng, morue, maquereau, sole, thon, truite, homard, moules, huîtres, crevettes, pétoncles, langoustines, escargots, coquille Saint-Jacques

ou volaille de grain: poulet, chapon, cailles, canard, oie, pintade, perdrix, faisan

ou bœuf, veau de grain, agneau, lapin, lièvre, chevreuil, bison.

Légumes variés: (peu cuits) carottes, haricots verts ou jaunes, pommes de terre, oignons, brocoli, chou-fleur, choux de Bruxelles, betteraves, aubergine, asperges, navet, salsifis, pois verts, courge, endives, poireau, têtes de violon, champignons.

Desserts: yogourt nature, gélatine maison aux fruits. Si permis: petit dessert naturiste, gâteau aux fruits, au caroube, aux noix, brioche naturiste aux fruits, biscuits naturistes.

Boissons: café de céréales, thé naturiste, tisanes recommandées, lait de chèvre ou eau distillée.

MENU SANTÉ — SOUPER

Avant: un verre d'eau distillée ou de jus de légumes biologiques avec les suppléments alimentaires qui vous sont recommandés.

Entrée: soupe aux légumes maison, potage ou bouillon

ou petite salade de fruits frais.

Plat principal: salade de crudités variées composée au choix de: laitue, épinards, chou rouge, chou blanc, chicorée, céleri, ciboulette, concombre, luzerne germée, fenouil, olives noires, olives vertes, oignons, persil, poivrons verts, poivrons rouges, échalotes, tomates, cresson, radis, pois verts, endives, etc.

Assaisonnements au choix: herbes aromatiques, épices naturelles, huile végétale de première pression à froid, vinaigre de cidre de pomme, mayonnaise naturelle, yogourt de chèvre, fromage de lait cru rapé, amandes effilées, noisettes concassées, graines de sésame, vinaigrette naturelle, croûtons.

Avec: incorporez au choix: crevettes, crabe, saumon, thon, poulet, dinde, œufs, homard

ou servez un plat de céréales: riz brun non décortiqué, millet, fèves germées, quinoa, sarrasin, couscous, boulgour, maïs, etc.

ou servez un plat de pâtes alimentaires naturelles: spaghettis, nouilles, lasagnes, fettucinis, macaronis, spaghettinis avec sauce maison.

Desserts: gélatine maison aux fruits, yogourt. Si permis: petit dessert naturiste: gâteaux aux carottes, aux bananes, aux fruits, au caroube, biscuits naturistes (farine biologique, sucre brut, sel de mer, huiles vierges, beurre cru, eau distillée, etc.).

Boissons: café de céréales, thé naturiste, tisanes recommandées, lait de chèvre ou eau distillée.

«La vraie santé sans effort n'existe pas et ne peut pas exister dans un monde où l'alimentation est dénaturée, l'eau polluée, l'air vicié, les esprits troubles, les consciences obscurcies, la création sabotée et le Créateur bafoué; c'est une utopie.»

Dr André Passebecq, M.D.,N.D.

5– La revitalisation par la supplémentation alimentaire

Les suppléments alimentaires pour améliorer sa santé

Notre environnement est pollué et nos aliments sont empoisonnés; c'est pourquoi nous sommes carencés, et ce, depuis des générations. De plus, de nombreuses vitamines sont détruites par l'alcool, le café, le thé, le tabac, le sucre blanc (présent presque partout), la farine raffinée et par l'ingestion de différents médicaments (antibiotiques, sulfamides, antidépresseurs, anovulants). L'activité physique intense, le stress soutenu, la grossesse, la puberté, la ménopause et le vieillissement accroissent considérablement nos besoins individuels.

Aujourd'hui, la seule manière d'être certain d'avoir une alimentation revitalisante (si elle n'est pas entièrement biologique) consiste à **prendre des suppléments de vitamines et minéraux et des dépuratifs pour nettoyer et régénérer les organes surchargés** (foie, reins, poumons, peau, etc.)

Les suppléments alimentaires sont des concentrés d'aliments organiques (fruits, légumes, plantes) ou de super-aliments (pollen, gelée royale, algues marines, etc.) qui fournissent au métabolisme d'abondants principes vitaux. La prise régulière de suppléments alimentaires est une mesure de sagesse et un gage de prévention à notre époque. Tout programme de supplémentation alimentaire devrait être entrepris au minimum pendant 6 mois avant d'obtenir des résultats maximums. **L'organisme carencé doit souvent réparer des dommages cellulaires avant de se régénérer considérablement.** Une fois que les problèmes de santé seront réglés, un dosage d'entretien sera souvent suffisant pour se maintenir en parfaite santé.

Les suppléments alimentaires ne sont pas des produits à prendre quelque temps, «quand on en a besoin», mais de façon soutenue du fait que nous mangeons mal, tous les jours, et que nous portons déjà le poids des carences des générations précédentes. De grandes carences, présentes depuis des années, ne peuvent pas se combler exclusivement par une «alimentation équilibrée» ou par une supplémentation alimentaire de quelques semaines.

La vraie santé sans efforts n'existe pas dans un monde d'alimentation raffinée. Nous devons la chercher dans l'alimentation biologique et dans la supplémentation ajustée à nos besoins. Les suppléments alimentaires ne sont pas des médicaments qui sont des substances étrangères à l'organisme que celui-ci tente d'éliminer le plus vite possible. Ils sont, au contraire, des composantes de la structure même de l'organisme.

Chaque individu est une entité biologique unique. Sa vie, ses expériences, son comportement alimentaire, son hérédité, son environnement et ses manquements répétés aux lois de la nature en font une personne carencée ou même intoxiquée, de façon spécifique. Il est donc important de faire évaluer sa condition métabolique lorsque l'on veut maximiser ses chances de conserver ou de retrouver la santé.

Lorsqu'on décide de prendre en main sa santé, mieux vaut se faire guider par un spécialiste de l'alimentation naturelle et de la supplémentation alimentaire, en l'occurrence un **naturopathe**, qui saura **désintoxiquer**, **revitaliser** et **rééquilibrer** le métabolisme de base.

En attendant, voici une liste sommaire des **effets des carences en vitamines et en minéraux.** Il s'agit là des effets les plus importants connus, mais comme plusieurs vitamines et plusieurs minéraux agissent en synergie les uns avec les autres, il est d'une importance capitale de supplémenter l'alimentation aussitôt que les carences sont détectées.

LES VITAMINES

Vitamine A: Rétinol

Carences: manque de résistance aux infections, mauvaise cicatrisation des plaies, infertilité, kyste, mauvaise vision, mauvaise lactation, cheveux secs et ternes, pellicules, affaiblissement de l'acuité auditive et de l'odorat, acné, impuissance, croissance insuffisante.

Ennemis: alcool, antiacides pharmaceutiques, aspirine, barbituriques, laxatifs pharmaceutiques, huile de castor, huile minérale, acides gras polyinsaturés. Les engrais chimiques détruisent la vitamine A des fruits et des légumes ainsi que celle présente dans notre foie.

Des études auprès de milliers de personnes qui ont noté pendant un mois ou plus les aliments qu'elles ingéraient montrent que les **trois quarts** de notre population n'absorbent pas plus de 2 000 u.i. de vitamine A quotidiennement. Le dosage optimal quotidien se situant aux alentours de 10 000 u.i.

Vitamine B_1: Thiamine

Carences: suceptibilité, dépression, somnolence, agressivité, manque de concentration, manque de mémoire, insomnie, fatigue, schizophrénie, embonpoint, cellulite, flatulence, constipation, gaz, faiblesse cardiaque, pieds et mains engourdis. Les moustiques sont attirés vers nous.

Ennemis: café, alcool, sucre blanc, riz blanc, cassonade, farine raffinée, antiacides pharmaceutiques, aspirine, diurétiques pharmaceutiques, anovulants, conserves, cigarettes, boire beaucoup d'eau.

Vitamine B2: Riboflavine

Carences: vision embrouillée, yeux injectés, irritabilité des yeux à la lumière, cataracte, conjonctivite, cheveux gras, couperose, lèvres gercées, peau huileuse.

Ennemis: anovulants, antibiotiques, tranquillisants, alcool, antiacides pharmaceutiques, sucre blanc, cassonade, farine raffinée, aspirine, diurétiques pharmaceutiques, la cuisson, boire beaucoup d'eau.

Vitamine B3: Niacine

Carences: anxiété, émotivité, dépression, schizophrénie, mauvaise haleine, mauvaise digestion, anémie, érythème solaire, arthrite, épilepsie.

Ennemis: sucre blanc, cassonade, farine raffinée, antiacides pharmaceutiques, aspirine, diurétiques pharmaceutiques, boire beaucoup d'eau.

Vitamine B4: Adénine

Carences: diminution des globules blancs, asthénie, anémie, rhumatisme articulaire.

Ennemis: radiation, antibiotiques, boire beaucoup d'eau.

Vitamine B5: Acide pantothénique

Carences: émotivité, dépression, tempérament querelleur, insomnie, fatigue, maux de tête, vertige, faiblesses, hypoglycémie, flatulence, constipation, crampes musculaires, palpitations, rhumes, infections, allergies, amygdales et ganglions hypertrophiés, insuffisance des surrénales à produire de la cortisone.

Ennemis: sucre blanc, cassonade, antibiotiques, antiacides pharmaceutiques, farine raffinée, aspirine, diurétiques pharmaceutiques, boire beaucoup d'eau.

Vitamine B_6: Pyridoxine

Carences: hypernervosité, dépression, fatigue, tremblements, tension du syndrome prémenstruel (7 à 10 jours avant les règles), augmentation du taux de cholestérol, anémie, arthrite, haleine fétide, vertiges, flatulence, pellicules, crampes, migraines, eczéma, nausée de la grossesse, mal de l'air, mal de mer, rétention d'eau, cellulite, épilepsie, calculs rénaux d'acide oxalique, pierres au foie, artériosclérose, problèmes cardio-vasculaires, mauvaise circulation, acné, obésité, perte de cheveux, ongles striés, dédoublés, diminution de la production d'acide hydrochlorique, diminution de la fertilité, diminution des anticorps et des globules rouges et de la synthèse d'ARN et d'ADN.

Ennemis: sucre blanc, cassonade, farine raffinée, antiacides pharmaceutiques, diurétiques pharmaceutiques, antibiotiques, boire beaucoup d'eau.

Vitamine B_7: (voir vitamines I ou J)

Vitamine B_8: Biotine

Carences: fatique, perte de l'appétit, somnolence, crampes musculaires, eczéma séborique, perte de cheveux.

Ennemis: anovulants, alcool, sucre raffiné, farine raffinée, antiacides pharmaceutiques, aspirine, boire beaucoup d'eau.

Vitamine B_9: Acide folique

Carences: dépression, neurasthénie, sénilité précoce, perte de mémoire, insomnie, anémie, fausses couches, naissances prématurées ou difficiles, toxémie de la gestation, anomalies fœtales, naissances d'enfants chétifs et fragiles aux infections, dermatites, eczéma, acné rosacée.

Ennemis: sucre raffiné, cassonade, farine raffinée, les conserves, la cuisson, alcool, antibiotiques, anovulants, antiacides pharmaceutiques, barbituriques, aspirine, diurétiques pharmaceutiques, boire beaucoup d'eau.

N.B. Les carences en acide folique sont actuellement très répandues.

Vitamine B_{10}: Acide para-amino-benzoïque ou PABA

Carences: problèmes de peau, allergies au soleil, coup de soleil, cheveux grisonnants, eczéma.

Ennemis: la cuisson, les aliments raffinés, boire beaucoup d'eau.

Vitamine B_{11}: Carnitine

Carences: manque d'appétit, fatigue, cholestérol, insuffisance des sécrétions digestives, rachitisme, atrophies musculaires, maigreur excessive, ostéoporose.

Ennemis: la cuisson, les aliments raffinés, boire beaucoup d'eau.

Vitamine B_{12}: Cyanocobalamine

Carences: désordre psychologique, dépression, confusion mentale, trouble de la ménopause, irritabilité.

Ennemis: antiacides pharmaceutiques, aliments raffinés, la cuisson, boire beaucoup d'eau.

Vitamine B_{13}: Acide orotique

Carences: diarrhées diverses, lithiases rénales, rhumatismes, goutte, calculs rénaux, coliques néphrétiques, hyperuricémie, hypercholestérolémie, stéatose hépatique, stéatose généralisée.

Ennemis: la cuisson, boire beaucoup d'eau, les aliments raffinés.

Vitamine B_{14}: Xanthoptérine

Carences: tumeurs.

Ennemis: la cuisson, les aliments raffinés, boire beaucoup d'eau.

Vitamine B_{15}: Acide pangamique

Carences: stéatose hépatique, hypercholestérolémie, vieillissement.

Ennemis: la cuisson, les aliments raffinés, boire beaucoup d'eau.

Vitamine I: Inositol

Carences: artériosclérose, hypercholestérolémie, stéatose hépatique, constipation, obésité, fatigue générale, irritabilité, nervosité, anorexie, débilité, cheveux abîmés, calvitie, eczéma; syndromes veineux, variqueux, phlébitiques; fourmillements, problèmes aux yeux, cataracte, vision diminuée, points noirs.

Ennemis: eau en grande quantité, café, thé, alcool, antibiotiques.

Vitamine J: Choline

Carences: varices, couperose, gencives saignantes, bleus, lésions vasculaires, hémorroïdes, phlébites, problèmes cardio-vasculaires, coronarite, thrombose coronaire, infarctus, artériosclérose, hyperviscosité sanguine, hypertension, angor, bourdonnement d'oreilles, maux de tête, vision brouillée, palpitations cardiaques, hypoglycémie, diabète, embonpoint, abdomen volumineux, cirrhose, hépatite, stéatose hépatique, ulcère, constipation, problème de vésicule biliaire, nausée, gaz, spasme du sphincter, reflux œsophagien, intolérance au gras, indigestion chronique, jaunisse, colique intestinale, menstruations abondantes, chaleurs de ménopause, endométriose, atrophie de l'utérus et des ovaires, infertilité prostatite, fatigue chronique, anémie, leucémie, cancer, kyste, tumeur, fibromes, hépatomes (dépôts de lipides), lipomes, kyste de gras, lésions, sclérose en plaques, dystrophie musculaire, paralysie, désordre neuromusculaire, dermatite, acné, eczéma, psoriaris, perte de cheveux, grisonnement des cheveux, tuberculose, syphilis, choléra, fièvre typhoïde, hypothyroïdie, infections graves, dépôts calcaires, hypertrophie rénale, lésions rénales, œdème, urine insuffisante, diminution de la mémoire, fatigue intellectuelle, maladie d'Alzheimer, accident vasculaire cérébral, insomnie, maux de tête, dégénérescence nerveuse, démence sénile, disfonctionnement cérébral.

Ennemis: eau en grande quantité, café, thé, alcool, hormones pharmaceutiques, aliments raffinés (pain blanc, sucre blanc, cassonade, riz blanc, farine blanche, etc.).

Vitamine C: Acide ascorbique

Carences: sujet aux infections, tendance à se faire des bleus facilement, crise cardiaque, varices, hémorragie, douleur arthritique inflammatoire, hypoglycémie, fatigue, lassitude, allergies, anémie, allergies alimentaires, kyste, tumeur, mauvaise cicatrisation, hypercholestérolémie, cancer, diminution du fonctionnement des glandes surrénales, mauvaise fixation du fer, perte de l'appétit, saignement des gencives et perte des dents, vieillissement prématuré, affaissement du tissu conjonctif, descente des organes.

Ennemis: la cuisson, la lumière, l'oxygène, la cigarette, l'aspirine, l'alcool, les médicaments à base de chloride d'ammonium (les sirops décongestionnants pour la toux), les antihistamines, les barbituriques, le fluor, les contraceptifs oraux, etc.

- Chaque cigarette détruit 20 mg de vitamine C.
- Un seul comprimé de nombreux médicaments pharmaceutiques d'utilisation courante, réputés pour leur innocuité, continue de détruire la vitamine C pendant trois semaines et plus.
- Les gens ayant déjà pris des médicaments, pendant des mois ou des années, auront besoin de larges dosages de vitamine C, parce que celle-ci doit d'abord éliminer les toxines laissées par ces médicaments avant de pouvoir gagner les tissus carencés.

Vitamine D: Calciférol

Carences: rachitisme, ostéoporose, caries dentaires, fragilité osseuse, arthrite, fatigue chronique.

Ennemis: la cuisson, la radiation.

Vitamine E: Tocophérol

Carences: infertilité, règles absentes ou irrégulières, frilosité des extrémités, peau sèche, dermatoses, hypotension, bouffée de chaleur, ménopause, faiblesse cardiaque, varices, phlébite, artériosclérose, acné, fatigue, thrombose, crise cardiaque, maux de tête.

Ennemis: la cuisson, la congélation, chlore de l'eau de consommation, huile minérale, hormone œstrogène des pilules contraceptives ou des pilules pour la ménopause, huiles végétales commerciales qui ne sont pas de première pression à froid.

Vitamine F: Acides gras insaturés

Carences: hypercholestérolémie, stéatose hépatique, embonpoint, acné, eczéma, psoriasis, abcès, maladies cardio-vasculaires; peau sèche, fendillée et gercée; cheveux secs, ongles cassants, infertilité.

Ennemis: cuisson, air, lumière.

Vitamine K: Phylloquinone

Carences: mauvaise coagulation sanguine, hémorragie menstruelle, saignement de nez, fausse-couche.

Ennemis: rayons X, radiation, congélation des fruits et légumes, antibiotiques, aspirine, pollution de l'air, huiles minérales.

Vitamine M: Stigmastérol

Carences: cellulite inflammatoire post-phlébitique, hyperlipidémie, coxarthroses, croissance retardée, hypotomie musculaire, névralgies cervico-brachiales, sciatique, sclérodermie.

Ennemis: cuisson, air, lumière, radiation.

Vitamine N: Acide lipoïque

Carences: disfonctionnement hépatique, hyperlipidémie, diabète, troubles gastro-intestinaux, sclérose du foie, nécrose cérébrale, acidose métabolique, spasmophilie, polynévrite, paralysie.

Ennemis: cuisson, air lumière.

N.B.: l'acide lipoïque est essentiel pour amorcer le cycle de Krebs (fig.5).

Vitamine P: Rutine

Carences: diminution de la résistance des capillaires, accidents vasculaires cérébraux, hémorragies diverses, varices, phlébites, glaucome, ulcères variqueux, hypertension, rétinopathies, arthrite, rhumastismes inflammatoires, scorbut, hémophilie, insuffisance hépatique.

Ennemis: boire trop d'eau, la cuisson, la lumière, l'oxygène, la cigarette, l'aspirine, l'alcool, les médicaments à base de chloride d'ammonium, les antihistaminiques, les barbituriques, le fluor, les contraceptifs oraux.

LES MINÉRAUX ET LES OLIGO-ÉLÉMENTS

Calcium: Ca

Carences: caries dentaires, arthrite, arthrose, rhumatisme, ostéoporose, crampes, spasmophilie, tremblement, nervosité, insomnie, palpitations cardiaques, hyperémotivité, crampes menstruelles, hémorragies menstruelles, hypertranspiration, anémie, fièvre, manque de concentration, odeur corporelle.

Ennemis: sucre blanc, cassonade,boissons gazeuses, chocolat, farine raffinée, café, thé, fruits acides, aspirine.

Phosphore: P

Carences: rachitisme, ostéoporose, fatigue, mauvais fonctionnement du cerveau, mauvaise utilisation des vitamines B_1, B_2 et B_6.

Ennemis: les engrais chimiques, les additifs alimentaires.

Chlore: CL

Carences: mauvaise digestion, mauvaise haleine, ballonnements, rapports, gaz, allergies alimentaires, putréfaction intestinale, irritation, indigestion, catarrhe de l'estomac et des intestins, infections, obésité, cellulite.

Ennemis: boire trop d'eau.

Potassium: K

Carences: crampes musculaires, manque de mémoire, manque d'intérêt intellectuel, rétention d'eau, faiblesses cardiaques, hypoglycémie, lassitude, incoordination musculaire.

Ennemis: sucre blanc, cassonade, café, thé, diurétiques pharmaceutiques, sel commercial, diète, stress mental et physique, médicaments pharmaceutiques pour la pression artérielle, aspirine.

Soufre: S

Carences: problèmes de foie et de vésicule biliaire, allergies diverses, arthrite, dermatoses, asthme.

Ennemis: les aliments raffinés.

Sodium: Na

Carences: difficulté à digérer les sucres, les gras et les farineux; allergies alimentaires, flatulences, gaz, langue blanche, mucus, foie lent, inflammation des tendons, faiblesse musculaire, arthrite, arthrose, rhumatisme, articulations qui craquent, mauvaise assimilation du calcium, fièvre, infections diverses, migraine, nervosité, manque de concentration, manque de salive, mauvais fonctionnement des glandes.

Ennemis: aliments raffinés, chaleur.

N.B.: De tous les éléments minéraux alcalins du corps, le sodium est le plus important. Le foie est l'organe qui renferme le plus de sodium nécessaire à la neutralisation des acides toxiques et à l'équilibre acidobasique du corps.

Magnésium: Mg

Carences: spasmes musculaires et nerveux, palpitations, crampes menstruelles et musculaires, tremblement, paralysie, convulsion, épilepsie, arthrite, rhumatisme, névralgie, anxiété, angoisse, agressivité, hyperactivité, stress, tension, insomnie, jalousie, hostilité, hyperémotivité, inquiétude, intolérance au bruit, distraction, perte de mémoire, bégaiement, injection, fièvre, champignons, sinusite, mucus, congestion nasal, crachats, asthme, grippe, bronchite, transpiration, allergies, constipation, putréfaction intestinale, gaz, ballonnements, migraines, nausées, mauvaise digestion, désordre d'estomac, acidité, ulcères, colites, œdème, jaunisse, hypoglycémie, somnolence de jour, fatigue, manque de résistance et de vitalité, peau huileuse, acné, dermatose, perte de cheveux, cheveux gras, sensibilité des yeux à la lumière, bourdonnement d'oreilles, leucomes sur les ongles (tâches blanches), la bouche qui brûle, la mollesse de l'abdomen, menstruations difficiles, varices, trouble de la prostate, pierres aux reins, hypertension, trouble de la thyroïde, problème de fécondité.

Ennemis: alcool, diurétiques pharmaceutiques, aliments raffinés, (sucre blanc, cassonade, farine blanche, pain blanc, riz blanc, etc.), anovulants, cortisone, antibiotiques, radiothérapie, café, thé, fruits acides, chocolat, boissons gazeuses.

Manganèse: Mn

Carences: diabète, perte de l'instinct maternel, irritabilité du caractère, schizophrénie, épilepsie, impuissance, insuffisance de la croissance.

Ennemis: les additifs alimentaires, les aliments raffinés.

Fer: Fe

Carences: anémie, fatigue, pâleur, ongles cassants, froideur et engourdissement des extrémités.

Ennemis: thé (le tanin du thé rend le fer inassimilable); carences en vitamines C et B, ce qui empêche l'assimilation du fer; les flux menstruels entraînent une fuite de fer.

Cobalt: Co

Carences: spasmes, hypertension artérielle, anémie, palpitations cardiaques, angoisse.

Ennemis: chaleur, sucre blanc, cassonade.

Cuivre: Cu

Carences: anémie, troubles nerveux, grisonnement précoce des cheveux, maladies de la peau, disfonctionnement du cœur, œdème.

Ennemis: le cuivre ne se détruit pas facilement.

Zinc: Zn

Carences: retard de croissance, chevelure peu épaisse, vergetures, retard dans la maturité sexuelle, diminution de l'appétit, acné et autres dermatoses, perte du goût et de l'odorat, impuissance, frigidité, infertilité, odeurs corporelles fortes, inflammation de la prostate.

Ennemis: diurétiques pharmaceutiques, café.

Bore: B

Carences: aucune carence majeure ne paraît avoir été constatée jusqu'ici.

Aluminium: Al

Carences: aucune carence majeure ne paraît avoir été constatée jusqu'ici.

Vanadium: V

Carences: cholestérol élevé, triglycérides élevés, chute des cheveux, mauvaise fixation minérale.

Ennemis: les aliments raffinés.

Molybdène: Mo

Carences: caries dentaires, surcharge toxinique, déséquilibre de la formule sanguine.

Ennemis: sucre blanc, cassonade.

Iode: I

Carences: goitre, frilosité des extrémités, obésité, constipation, fatigue générale, fragilité des ongles et des cheveux.

Ennemis: absence d'aliments ou de sel brut venant de la mer.

Silice: Si

Carences: ongles et cheveux cassants, arthrose, arthrite.

Ennemis: les aliments raffinés.

Étain: Sn

Carences: dermatoses (abcès, anthrax, furoncles, acné), infections diverses.

Ennemis: les aliments raffinés.

Nickel: Ni

Carences: diabète, difficulté à digérer les hydrates de carbone (céréales, légumineuses...), problèmes de foie.

Ennemis: sucre blanc, cassonade.

Chrome: Cr

Carences: maladies cardio-vasculaires, hyperglycémie (diabète), obésité, croissance ralentie, mauvais fonctionnement sexuel chez l'homme, artériosclérose.

Ennemis: les additifs alimentaires, les aliments raffinés.

N.B. : Le zinc peut remplacer le chrome en cas de carences.

Fluor: F

Carences: rachitisme, scoliose, ostéoporose, faiblesse des ligaments, articulations relâchées.

Ennemis: sucre blanc, cassonade.

Sélénium: Se

Carences: cancers, maladies cardio-vasculaires, dermatoses.

Ennemis: les aliments raffinés.

LES SUPPLÉMENTS ALIMENTAIRES

LE CALCIUM: supplément indispensable

Le calcium est l'élément minéral le plus abondant dans l'organisme. De nombreux métabolismes sont sous sa dépendance: la croissance, l'ossification, l'excitabilité neuro-musculaire, la coagulation du sang, la perméabilité cellulaire, l'immunité, la digestion, etc. En pénétrant dans la cellule, le calcium est responsable de la fabrication de notre énergie (fig.5).

La santé n'est pas possible sans une bonne réserve de calcium dans l'organisme, et comme il est presque inexistant dans les produits de l'agriculture chimique et les produits laitiers pasteurisés, il doit être consommé régulièrement et à tout âge.

Il existe plusieurs sortes de suppléments de calcium: le lactate de calcium (dérivé du sucre du lait), le gluconate de calcium, la dolomite (anciens dépôts marins), le glucoheptonate de calcium, la poudre d'os, etc. Le glucoheptonate de calcium (liquide) est un calcium de haute solubilité à l'intérieur de l'organisme et il est donc très bien assimilé. Nous le privilégions comme supplément de calcium le soir au coucher. En effet, tous les suppléments de calcium pris avant, pendant ou après un repas ont beaucoup moins de chances de se fixer.

En effet, c'est dans le duodénum que le calcium est assimilé s'il est sous forme de sels solubles. Or les sels de calcium sont pour la plupart insolubles en milieu alcalin mais solubles en milieu acide. Nous savons que l'acide chlorhydrique sécrété par l'estomac lors de la digestion acidifie le bol alimentaire. Par contre, en pénétrant dans le duodénum, l'acidité du bol alimentaire sera neutralisée au contact de la bile, faisant précipiter du même coup les sels de calcium. Cette précipitation rend le calcium inassimilable. Beaucoup de personnes prennent des suppléments de calcium qu'elles n'assimilent pas. Le naturopathe, qui est le spécialiste de la supplémentation alimentaire, connaît les mécanismes biochimiques qui maximisent l'absorption des suppléments alimentaires.

LE CHLORURE DE MAGNÉSIUM: supplément indispensable

Le magnésium est un élément minéral très important pour maintenir une bonne santé. En plus de son action catalytique sur les réactions enzymatiques, le magnésium possède une action plastique, c'est-à-dire de construction. En effet, le magnésium participe à l'édification de la masse osseuse et à la construction des muscles. La teneur en magnésium des muscles est quatre fois plus élevé que celui du calcium.

Si, au cours de la vie, le transfert de magnésium se fait de l'os vers les organes épuisés et s'il se maintient ainsi plusieurs années à cause d'une alimentation raffinée et déminéralisante, il y aura déminéralisation de la masse osseuse et donc, début d'**ARTHRITE**, d'**ARTHROSE**, d'**OSTÉOPOROSE**, etc.

Le magnésium est l'élément de la cellule nerveuse. Les gens carencés en magnésium sont **STRESSÉS, ANGOISSÉS, INSOMNIAQUES, DÉPRESSIFS, HYPERACTIFS** et présentent toutes sortes de **DIFFICULTÉS D'ADAPTATION.**

Le magnésium a une fonction importante dans le système immunitaire. Il augmente le pouvoir d'assimilation des globules blancs qui gèrent les bactéries nuisibles. Il en résulte une résistance accrue aux maladies.

Le magnésium conditionne tous les organes digestifs; il augmente la qualité des sécrétions biliaires, gastriques, pancréatiques et intestinales. Il est le protecteur de l'appareil circulatoire.

Le magnésium agit comme régulateur de la fixation du calcium dans l'organisme. Il est donc nécessaire pour toutes les carences en calcium.

Selon le scientifique Pierre Delbet, «les sels de magnésium ont une action positive certaine sur la cellule cancéreuse[1]».

Le chlorure de magnésium en poudre est la meilleure forme de magnésium pour reminéraliser l'organisme. De haute solubilité, ce sel minéral alimentaire devrait être consommé tous les jours puisque l'équilibre minéral est la base de la santé.

LA LUZERNE: cette plante reminéralisante

La luzerne est considérée par plusieurs biologistes comme étant une des plantes les plus riches en éléments essentiels à la vie.

On croit généralement que c'est le règne animal qui fournit la source la plus riche en protéines. Il est donc surprenant d'apprendre que le contenu en protéines de la luzerne est extrêmement élevé: 18,9% comparé à 3,3% dans le lait, à 13,8% dans le blé entier, à 13,1% dans les œufs et à 16,5% dans le bœuf.

Le contenu minéral de la luzerne se classe parmi les plus intéressants: calcium, potassium, phosphore, potasse, sodium, chlore, soufre, magnésium, cuivre, manganèse, fer, cobalt, molybdène. La luzerne fournit au sang les éléments chimiques nécessaires à la production de kératine, dont les cheveux sont formés.

Les scientifiques ont découvert que la luzerne contient toutes les vitamines connues, incluant la vita-

1. DELBET, Pierre. *Agriculture, magnésie et cancer*, Dangles, 1958, p. 12.

mine K avec son effet bénéfique sur la **coagulation du sang**. Elle contient les vitamines suivantes: A, D, E, K, U, C, B_1, B_2, B_6, B_{12}, niacine, acide pantothénique, inositol, biotine, acide folique.

Des milliers d'**ARTHRITIQUES** et de gens souffrant de **RHUMATISME** rapportent que leurs souffrances ont considérablement diminué ou sont disparues, en quelques semaines, avec la luzerne.

Avec sa propriété de **désintoxication**, la luzerne est reconnue pour augmenter la résistance à l'**ANÉMIE**.

LA SPIRULINE: une algue méconnue

La spiruline est une algue bleue-verte microscopique trouvée dans le plancton de la mer. On la retrouve dans les différentes parties du monde où se trouvent les eaux les plus alcalines.

La spiruline contient 18 acides aminés et d'autres nutriments essentiels. Elle contient entre 65 et 71% de protéines de haute qualité et elle est facile à digérer.

La spiruline contient toutes les vitamines du complexe B, elle est riche en fer, phosphore, calcium, zinc, potassium et magnésium.

La spiruline est un supplément alimentaire qui intéresse surtout les végétariens, les végétaliens, les macrobiotiques ou toutes autres personnes ne consommant pas de viande (protéines). Les athlètes en quête de protéines de haute qualité l'apprécient également.

L'ALOÈS VÉRA: une plante extraordinaire

L'aloès véra est une plante qui ressemble à un cactus avec des feuilles rigides, élancées et à côtés épineux.

Après plusieurs années d'analyse intensive de cette plante, les scientifiques n'ont pu expliquer qu'en partie la valeur incroyable de la gelée d'aloès véra. Ses composantes en font un **antibiotique**, un **astringent** et un **agent coagulant** des plus puissants. Elle est aussi un agent qui permet **de contrer la douleur**, de **bien cicatriser** et de **stimuler la croissance.**

Plusieurs rapports prouvent son efficacité dans des cas de **COLITES** ou pour d'**AUTRES INFLAMMATIONS** du système digestif et même pour des **INFECTIONS AUX REINS.** L'aloès véra accroît la **résistance** de l'organisme aux substances dangereuses. De plus, elle guérit n'importe quelle sorte d'**ULCÈRE.**

En cosmétologie, l'aloès véra est une plante précieuse. Sa gelée en application soir et matin manifeste des **propriétés hydratantes** exceptionnelles et favorise la **régénération tissulaire.** De plus, appliquée sur les cheveux avant le séchage, elle leur donne beaucoup de lustre, de souplesse et de volume.

LE GREEN MAGMA: ce super-aliment

Le Green Magma est le pur jus séché de jeunes pousses d'orge mélangé avec de la poudre de riz brun.

Plusieurs années de recherches intensives sur plus de 150 sortes de plantes ont démontré que l'orge était une plante extrêmement riche de tous les nutriments dont l'organisme a besoin. On y retrouve plus de **1 000 sortes d'enzymes** dont le **super-oxyde dismutase** (S.O.D.). Il s'agit d'un enzyme qui protège la cellule et qui peut ralentir son processus de vieillissement. Il réduit les effets des radiations, agit comme anti-inflammatoire et peut prévenir l'irréversibilité des dommages cellulaires qui suivent une attaque cardiaque. Le S.O.D. est trouvé en concentration relativement élevée dans le Green Magma. La seule autre source connue étant la poudre de foie desséché.

Le Green Magma contient **40% de protéines** ainsi que **25 sortes de vitamines** naturelles dont: B_1, B_2, B_6, B_{12}, E, H, acide folique, acide pantothénique, choline, acide nicotinique, acide linoléique, chlorophylle, etc. On y retrouve également des concentrations élevées de **minéraux** comme le calcium, le potassium, le sodium, le magnésium, le phosphore et le fer. Le Green Magma contient 10 fois plus de calcium que le lait de vache, 5 fois plus de fer que les épinards, 7 fois plus de vitamine C que les oranges et 52 000 ui de carotène pour 100 g.

Le vieillissement cellulaire est causé en outre par l'accumulation constante de métabolites intermédiaires toxiques qui entraînent des dommages cellulaires. Le Green Magma répare ces dommages et prévient le vieillissement cellulaire.

Le Green Magma se consomme de préférence à jeun le matin. Il suffit de diluer 1 cuillère à table (15 ml) de poudre dans 225 ml d'eau froide ou dans du lait de chèvre. On peut aussi en reprendre en soirée (à jeun) pour un effet plus marqué et rapide.

LE POLLEN DE FLEURS: un aliment complet

Le pollen est une des matières premières utilisées par les abeilles pour fabriquer le miel et pour nourrir leurs larves. Il contient tous les éléments essentiels, les vitamines, les minéraux, les enzymes et les traces d'éléments nécessaires pour conserver une bonne santé. Le pollen de fleurs est la seule nourriture connue qui contient **tous les éléments nutritifs essentiels** dont l'homme a besoin pour être en parfaite santé. Le fait ne peut guère être contesté, car maintes analyses l'ont prouvé dans le monde entier.

Le pollen de fleurs a plusieurs propriétés bénéfiques pour l'organisme dont les suivantes:

- Équilibrer le système nerveux.
- Tonifier tout l'organisme, augmenter sa résistance contre les infections.
- Équilibrer les fonctions intestinales.
- Équilibrer le système glandulaire agissant contre l'obésité ou la maigreur excessive.
- Augmenter le taux d'hémoglobine et régénérer le sang.
- Augmenter la résistance sexuelle.
- Favoriser l'élimination de l'acné et les taches de la peau.
- Atténuer les rides de la peau.
- Empêcher les fermentations intestinales.

Grâce à la **rutine** qu'il contient, le pollen a une action efficace sur la résistance de tout le **système veineux,** évitant ainsi les **HÉMORRAGIES**, les **CONGESTIONS CÉRÉBRALES** en même temps qu'il a une action **toni-cardiaque**.

Il provoque une certaine **euphorie**, une sensation de **bien-être**, de **plénitude**, de **satisfaction.** Il augmente le **dynamisme**, l'**esprit d'entreprise** et il donne de l'**optimisme** tout en effaçant la **FATIGUE**.

LA GELÉE ROYALE: un aliment royal

La gelée royale est une substance blanchâtre sécrétée par les glandes pharyngiennes des jeunes abeilles. Elle est distribuée, en partie, aux très jeunes larves tandis qu'elle constitue l'essentiel de la nourriture des reines, pendant toute leur existence. Seule, cette alimentation royale permet à la reine des abeilles de faire face à l'énorme activité reproductrice qui la caractérise (pondre 1 500 à 2 000 œufs par jour), soit presque **son**

propre poids en œufs. De plus, sa durée de vie est de **plusieurs années** comparativement aux abeilles ouvrières qui ne vivent que quarante jours en été et six mois en hiver.

La gelée royale contient 4 acides gras essentiels, 9 vitamines, 10 oligo-éléments, 20 acides aminés. Elle demeure également la plus riche source en **vitamine B5**.

De nombreuses études faites sur son action physiologique prouvent qu'elle **stimule et tonifie le métabolisme**, qu'elle est un **antibactéricide naturel**, qu'elle est un **antidépresseur naturel** et qu'elle **revitalise le système nerveux.**

LA LEVURE DE BIÈRE: la nourriture du système nerveux

Les levures sont des champignons microscopiques qui se développent à partir des sucres des plantes. Il existe différentes **sortes de levure:**

* La **levure nutritive** est obtenue par le développement d'une culture de «saccharomyces cerevisiae» sur les sucres de la mélasse.
* La **levure de bière** est cultivée durant le processus de fermentation du moût (fabrication de la bière).
* La **levure torula** est cultivée sur de la pulpe de bois (épinette).
* La **levure engevita** est cultivée sur les sucres de la mélasse.
* La **levure bjast** est cultivée durant le processus de fermentation du moût (fabrication de la bière).
* La **levure de kéfir** est cultivée sur du petit lait de fromage cottage.

Le rôle de la levure est de:

* **Équilibrer le système nerveux.**
* **Normaliser l'appétit et le poids.**
* **Améliorer les fonctions digestives.**
* **Conserver la beauté de l'épiderme.**
* **Donner de l'énergie.**
* **Protéger le foie contre une surcharge de graisses.**
* **Rajeunir les cellules par sa richesse en vitamines du complexe B.**

Une enquête du gouvernement canadien montre que **90% des Canadiens** ont des carences en vitamine B. Or, cette vitamine est nécessaire au système nerveux. La vitamine B ne peut cependant pas être «stockée» par l'organisme. Il faut donc en absorber régulièrement. La santé exige qu'elle soit fournie chaque jour, car elle est éliminée au fur et à mesure de son utilisation.

Voici certains facteurs qui concourent à une carence en vitamines du complexe B:

* Le recours aux antibiotiques et aux sulfamides.
* La consommation de boissons alcooliques.
* L'absorption de plusieurs tasses de café par jour.
* Une alimentation surchargée en sucre.
* La consommation d'aliments raffinés tels que le pain blanc, la farine blanche, le sucre blanc, le riz blanc, la cassonade, etc.
* L'absorption de beaucoup de liquides (ex.: 8 à 10 verres d'eau par jour).

LA LÉCITHINE: la nourriture du cerveau

La lécithine est un aliment dérivé de la distillation des huiles végétales de soya. Elle constitue une association de vitamines, de minéraux et d'acides gras polyinsaturés (57% d'acide linoléique et 9% d'acide linolénique).

La première fonction de la lécithine est d'aider le corps à brûler le cholestérol sanguin et hépatique. La lécithine favorise une bonne circulation sanguine et devient très précieuse pour les problèmes de santé suivants: **ANGINE, CRISE CARDIAQUE** et autres ennuis **CARDIO-VASCULAIRES, HYPERTENSION, ARTÉRIOSCLÉROSE, FATIGUE PHYSIQUE, DIMINUTION** de la vision, **PERTE DE CHEVEUX, ACNÉ, ECZÉMA, PSORIASIS, IMPUISSANCE, FRIGIDITÉ**, etc.

Une autre fonction de la lécithine est d'aider le corps à brûler les graisses de l'organisme, ce qui contribue largement à la perte de poids chez les gens qui font de l'**EMBONPOINT**. En effet, la lécithine est un émulsifiant des graisses. Elle maintient les graisses mobiles de sorte qu'elles ne puissent former des dépôts à des endroits indésirables.

La lécithine sert d'élément structural pour les cellules du cerveau et des nerfs. Elle conserve intacte la gaine de myéline qui est la protection des fibres nerveuses. D'ailleurs, on retrouve 30% de la lécithine de l'organisme dans le cerveau. La lécithine est efficace pour les problèmes suivants: **NERVOSITÉ, STRESS, ANGOISSE, INSOMNIE, MANQUE DE MÉMOIRE** et **d'INTÉRÊT INTELLECTUEL, FATIGUE PSYCHOLOGIQUE, MALADIE D'ALZHEIMER, DÉMENCE SÉNILE**, etc.

La lécithine est un diurétique naturel, c'est-à-dire qu'elle aide à éliminer l'excès de liquides dans les tissus.

La lécithine est une substance émulsifiante. Elle prévient et dissout graduellement les pierres sur la vésicule biliaire et aux reins. Elle prévient la dégénérescence du foie et demeure une composante importante de la bile nécessaire à une bonne digestion. Dans les intestins, la lécithine permet d'absorber les vitamines liposolubles A, D, E et K.

La lécithine augmente de façon importante l'immunité naturelle de l'organisme par son rôle sur le thymus. En effet, les acides gras polyinsaturés contenus dans la lécithine, et plus particulièrement l'acide linoléique, sont des précurseurs de la synthèse des prostaglandines, hormones nécessaires dans la lutte contre les infections.

La lécithine existe sous trois formes différentes: en granules jaunes, en liquide et en capsules.

LA GRAINE DE LIN: la plus précieuse des graines

La graine de lin est un précieux aliment qui convient à tous. Voici en détail sa composition et ses propriétés:

100 g de graines de lin contiennent:

45 g d'huile dont **50%** d'acides gras **linoléiques** essentiels et **25%** d'acides gras **linoléniques** essentiels

22 g de protéines dont **5 acides aminés** essentiels

12 g de **fibres douces**

10 g de mucilage

4 g de minéraux **(potassium, magnésium, calcium, zinc, fer)** de vitamines (**A, E, F, C, B_1, B_2,** lécithine)

7 g d'eau

La graine de lin qui contient des acides gras insaturés, combinés avec la vitamine F, contribue à neutraliser le cholestérol hépatique contenu dans le foie, empêchant ce dernier de fonctionner normalement, ainsi que le **CHOLESTÉROL** sanguin qui cause les maladies cardio-vasculaires. La graine de lin est donc fortement recommandée pour régulariser la **PRESSION ARTÉRIELLE**, pour régler les **PROBLÈMES DE CIRCULA-**

TION, la **FATIGUE CHRONIQUE** et les **PROBLÈMES HÉPATIQUES.**

La graine de lin contient de précieuses fibres alimentaires qui régularisent la fonction intestinale, en douceur. La présence de mucilage prévient l'irritation des muqueuses digestives. En effet, ce mucilage est excellent pour guérir l'**INFLAMMATION DE L'ESTOMAC (GASTRITE), l'INFLAMMATION DE L'INTESTIN (COLITE)** et l'**INFLAMMATION DU CÔLON (DIVERTICULITE)**. Le mucilage absorbe l'acidité excessive du système digestif. Cela en fait un élément précieux pour les gens dont l'estomac sensible est sujet aux **ULCÈRES.** Enfin, la graine de lin débarrasse le système digestif des substances toxiques.

La précieuse vitamine F contenue dans la graine de lin intervient favorablement pour lutter contre le **SYNDROME PRÉMENSTRUEL**, l'**ECZÉMA**, l'**ACNÉ**, le **PSORIASIS**, les **ABCÈS**, la **PERTE DE CHEVEUX**, les **ONGLES CASSANTS**, les **GERÇURES**, les **CREVASSES**, l'**ASSÈCHEMENT DE LA CORNÉE**, l'**EMBONPOINT**, la **SURDITÉ**, etc.

Les acides gras insaturés contenus dans la graine de lin sont à la base de la synthèse des prostaglandines qui interviennent dans plusieurs activités telles que la contraction musculaire, le fonctionnement de l'appareil circulatoire, l'équilibre de la sécrétion gastrique, l'agrégation plaquettaire, la fécondité et l'ensemble des sécrétions hormonales.

Pour toutes les raisons énumérées, la graine de lin est vraiment la plus intéressante de toutes les graines oléagineuses que nous offre la nature.

LES ALGUES MARINES: un aliment riche en iode

Les algues marines constituent un **super-aliment** d'une richesse exceptionnelle en éléments vitaminiques, en minéraux et en oligo-éléments dont le précieux **iode**. Les algues marines contiennent 22 acides aminés, 13 vitamines, 16 minéraux, beaucoup d'oligo-éléments et 65% de protéines.

Le **rôle** des algues marines en supplémentation alimentaire est de:

* **Restaurer l'insuffisance thyroïdienne.**
* **Lutter contre le goitre.**
* **Contribuer à la réactivation des glandes endocrines.**
* **Renforcer les défenses naturelles de l'organisme.**
* **Favoriser la croissance chez les enfants.**
* **Être très efficaces contre l'inflammation des ganglions lymphatiques.**

Les algues marines sont indiquées surtout dans les cas suivants:

TROUBLES DE CROISSANCE, DÉMINÉRALISATION, RACHITISME, RHUMATISME CHRONIQUE, INSUFFISANCE GLANDULAIRE, CONSTIPATION, COLITES, TROUBLES LIPIDIQUES, OBÉSITÉ, SURMENAGE PHYSIQUE, NERVEUX ou **INTELLECTUEL** avec **ASTHÉNIE.**

LE VINAIGRE DE CIDRE DE POMME: une source de minéraux alcalins

Il ne fait aucun doute que la pomme est un fruit merveilleux. Le vinaigre de cidre de pomme est un dérivé de la pomme qui se caractérise par sa grande richesse en minéraux (calcium, potassium, chlore, fluor, fer, magnésium, phosphore, soufre et autres).

Le vinaigre de cidre de pomme est un vieux remède traditionnel qui a fait ses preuves depuis longtemps. Dans un grand nombre de déficiences physiques ou psychologiques, c'est l'équilibre entre l'alcalinité et l'acidité de l'organisme qui est rompu. Il est donc absolument nécessaire de restaurer l'**équilibre chimico-physiologique**. C'est le rôle du vinaigre de cidre de pomme par sa richesse en minéraux alcalins d'agir ainsi. Il sert également à:

* **Régénérer les reins et faire fondre les pierres aux reins.**
* **Régulariser le métabolisme basal.**
* **Aider à combattre l'obésité.**
* **Contrôler la flore intestinale.**
* **Fixer le calcium dans les os et faire fondre les dépôts calcaires.**
* **Il est aussi un antibiotique naturel.**

Pour un grand nombre de déficiences physiques ou psychologiques, c'est l'équilibre entre l'alcalinité et l'acidité de l'organisme qui est débalancé. Le rôle du vinaigre de cidre de pomme est de **rééquilibrer le pH de l'organisme** par sa richesse en minéraux alcalins.

Voici, d'après le docteur Jarvis, les signes qui permettent de déceler une carence en potassium et en minéraux dans le corps:

* La vivacité d'esprit est en perte de vitesse.
* L'esprit de décision est moins vif.
* La mémoire n'a plus la même efficacité que par le passé.
* La fatigue mentale ou physique apparaît plus souvent et plus rapidement.
* Vous manquez d'endurance.

* Vous êtes plus sensible au froid.
* Vous préférez les plats chauds aux plats froids.
* Vous avez fréquemment froid aux mains et aux pieds.
* La plante de vos pieds devient calleuse; des cors apparaîssent.
* Vous êtes sujet à la constipation.
* Vous traversez des périodes de nausées, de vomissements.
* Les plaies guérissent mal.
* Vous éprouvez des démangeaisons.
* Vos dents se gâtent.
* Votre peau se couvre de boutons.
* Une de vos paupières ou la commissure de vos lèvres se met à trembler.
* Vous êtes sujet aux crampes, dans les jambes tout particulièrement; elles surviennent fréquemment la nuit.
* Vous vous détendez moins facilement.
* Vos articulations vous font souffrir et vous croyez avoir de l'arthrite.

L'ÉLEUTHÉROCOQUE: la plante qui rajeunit

L'éleuthérocoque est une plante qui pousse dans la steppe russe et sibérienne; à la fin de l'automne, elle porte des fruits noirs dont les rennes raffolent.

L'éleuthérocoque est avant tout un excellent moyen de lutter contre la **FATIGUE**. Il améliore qualitativement et quantitativement les **CAPACITÉS DE TRAVAIL PHYSIQUE** et **INTELLECTUEL**.

L'éleuthérocoque améliore l'état général du **système cardio-vasculaire**; il diminue le **cholestérol** et se montre efficace contre l'**artériosclérose**.

D'autres résultats spectaculaires ont été obtenus dans le traitement du **diabète** surtout chez les personnes âgées.

L'éleuthérocoque **ralentit** le phénomène de métastases du **cancer** et renforce l'efficacité de la médication anticancéreuse.

Dans toutes les maladies et suites de maladies (asthénie), l'éleuthérocoque apparaît comme un tonique efficace qui augmente la **résistance** de l'organisme.

L'éleuthérocoque développe la **FÉCONDITÉ**.

L'ARGILE VERTE: un cataplasme externe efficace

L'argile, ou terre glaise, provient de la décomposition des feldspaths (composés de silice et d'alumine) sous l'action des agents atmosphériques.

Il est incontestable que l'argile possède un effet absorbant très particulier. En effet, l'argile a la propriété extraordinaire d'**absorber les éléments nocifs** lorsqu'on l'applique sur une partie du corps. Elle favorise également la **reconstitution cellulaire**. L'argile agit **sélectivement**, ne s'attaquant qu'au mal.

Pour faire un cataplasme d'argile, il faut d'abord délayer l'argile avec de l'eau de source ou, mieux encore, avec de l'eau distillée en utilisant une cuillère de bois; ensuite, il faut la mettre en contact avec la partie malade. C'est seulement à cette condition que l'argile peut exercer ses bienfaits, car elle **«tire»** les éléments nocifs.

L'argile possède un étonnant pouvoir **purificateur**. Elle absorbe la **radio-activité**, elle est un **antiseptique actif**, elle restaure les **défenses naturelles**, elle guérit les **blessures** et les plaies les plus résistantes, elle est **antiinflammatoire** et elle accélère la **régénération** et la **reconstitution** des tissus lésés.

L'argile verte en cataplasme est recommandée surtout dans les affections suivantes: les **MAUX D'OREILLES** et de **GORGE**, les douleurs à la **NUQUE** et à la **COLONNE VERTÉBRALE**, les maux de **REINS** et de **FOIE**, les **ABCÈS**, les **FURONCLES**, les **PANARIS**, l'**ACNÉ**, l'**ECZÉMA**, les **ÉRUPTIONS CUTANÉES**, les **PLAIES SUPPURANTES**, les **ULCÈRES**, les **BRÛLURES**, les **BLESSURES**, les **CONTUSIONS**, les **ENTORSES**, les **FRACTURES**, les **VERRUES**, les **HERNIES**, les **VARICES**, les **HÉMORROÏDES**, l'**ARTHRITE**, le **RHUMATISME**, la **SCIATIQUE**, les **NÉVRITES**, les **KYSTES**, les **TUMEURS**, etc.

Évidemment, chacun des troubles mentionnés plus haut doit d'abord être traité à la source, c'est-à-dire en supprimant la cause de la toxémie.

L'AIL: cette plante exceptionnelle

L'ail est une plante douée de propriétés exceptionnelles bien connues des anciens.

* Elle possède des propriétés **ANTISEPTIQUES** puissantes.
* Elle est recommandée pour combattre les **INFECTIONS**, le **RHUME**, la **GRIPPE**, l'**ASTHME**, la **BRONCHITE**.
* Elle assainit, tonifie et désinfecte le **TISSU PULMONAIRE**.
* Elle régularise la **PRESSION ARTÉRIELLE**.
* Elle régularise les fonctions **GASTRO-INTESTINALES**.
* Elle augmente la résistance à l'**INFECTION**.
* Elle normalise le taux de **CHOLESTÉROL** et elle assouplit les **PAROIS VASCULAIRES**.
* Elle est un **VERMIFUGE** réputé.

LA POUDRE D'OS: la nourriture des os et des nerfs

La poudre d'os provient des os de jeunes veaux. Elle contient, dans un rapport bien balancé, tous les minéraux et les oligo-éléments normalement présents dans nos os.

Des études scientifiques en Suède ont prouvé que la poudre d'os était le meilleur préventif contre la **CARIE DENTAIRE.**

Le **rôle** de la poudre d'os est de:

* Fortifier les **OS.**
* Calmer les **NERFS.**
* Régulariser les **BATTEMENTS CARDIAQUES.**
* Prévenir la **CARIE DENTAIRE.**
* Prévenir l'**OSTÉOPOROSE.**

LES BACTÉRIES DE YOGOURT: un aliment antibiotique

Les bactéries de yogourt ou acidophilus sont une souche de bactéries antibiotiques pour **27 types différents de bactéries pathogènes** néfastes à l'organisme. Les bactéries de yogourt qui se logent dans l'estomac et dans l'intestin restaurent une écologie bactérienne normale, empêchent les **FERMENTATIONS INTESTINALES (GAZ)** et les **DIARRHÉES**, guérissent les **INFECTIONS DE TOUTES SORTES** en produisant les vitamines du précieux complexe B.

Il est connu que la prise de capsules de bactéries actives de yogourt a aidé des millions de personnes souffrant d'**ULCÈRES**, d'**ALLERGIES**, d'**HERPÈS SIMPLEX**, d'**INFECTIONS VAGINALES**, etc.

LA CHLOROPHYLLE: un aliment antiseptique

La chlorophylle est le pigment vert des végétaux qui capte les radiations solaires.

Des travaux récents ont mis en valeur l'importance de la chlorophylle dans l'alimentation, non seulement à cause du **noyau pyrrolique** et du **fer** qu'elle contient (et qui deviennent ensuite les éléments essentiels de l'hématine des globules rouges du sang), mais aussi parce que la chlorophylle est un **stimulant** efficace des échanges au niveau des aliments absorbés.

En usage interne, la chlorophylle est un **PUISSANT ANTISEPTIQUE** et en usage externe, il est efficace pour toutes sortes d'infections tenaces.

> *«La santé, la force et un développement normal viennent d'une nourriture parfaite et judicieuse.»*
>
> Hippocrate

6– Le naturisme et les lois de la nature

Les naturopathes du Québec ont créé un naturisme authentique québécois en perfectionnant et en complétant ce qu'il y avait de mieux dans les autres systèmes d'alimentation naturelle tels que l'hygiénisme, le végétarisme, le végétalisme, la macrobiotique, etc.

Le chapitre IV sur la nutrithérapie résume l'ensemble des éléments à connaître en ce qui concerne l'alimentation naturiste, une alimentation naturelle et autant que possible biologique. Dans le présent chapitre, nous voyons que le naturisme, c'est aussi l'utilisation de tous les facteurs de santé mis à notre disposition par la nature: l'**air**, le **soleil**, l'**eau pure distillée**, la **chaleur**, les **massages**, l'**argile**, l'**exercice physique**, le **repos**, la **pensée positive**, etc.

Un naturiste est une personne qui observe le plus intégralement possible toutes les lois de la nature qui sont:

- Une alimentation naturelle, biologique et non irradiée.
- L'utilisation de bains de soleil en quantité raisonnable (rien à voir avec le nudisme).
- La consommation d'eau pure distillée.
- Une bonne oxygénation de l'organisme.
- De l'exercice physique fait régulièrement.
- Le repos et le calme demandés par le corps et l'esprit.
- Une pensée positive.
- Des suppléments alimentaires pris quotidiennement pour maintenir son corps en parfaite santé.

Cette dernière règle est un complément aux lois de la nature et est une sage précaution si l'on considère notre environnement actuel, où il est presque impossible de suivre toutes les lois de la nature, à la perfection.

Le naturisme est un modèle de santé positive pour notre époque et pour l'avenir, où chacun doit être l'**artisan de sa santé** et espérer ainsi être bien portant au-delà des normes établies.

Cependant, devenir naturiste ne se fait pas du jour au lendemain. Il faut d'abord passer par une période d'adaptation où l'on commence, tranquillement, par changer ses mauvaises habitudes alimentaires. Le chemin le plus sûr, pour ceux qui veulent devenir naturistes, est de suivre les conseils d'un **naturopathe qualifié**. Avec son aide, l'aspirant naturiste apprendra quels sont les moyens à prendre pour d'abord supprimer le tabac, l'alcool, le café, le thé ou autres drogues. Ensuite, il abordera les premiers changements alimentaires . Il est important de faire le point sur son alimentation afin d'évaluer le chemin à parcourir pour devenir un naturiste convaincu.

Le repos

Le corps humain a deux grandes fonctions: l'assimilation et la désintoxication. Cette dernière s'effectue surtout la nuit, durant le sommeil. L'organisme en profite alors pour éliminer les toxines qu'il a accumulées durant la journée par le travail physique, la digestion des aliments, le travail intellectuel et le stress. Plus on se couche tôt, plus vite les toxines sont éliminées le lendemain matin par l'urine, les intestins, la langue, la peau et les poumons.

Le sommeil est une fonction biologique de toute première importance; il est aussi nécessaire que la nourriture. Il permet à l'organisme de refaire son plein de vitalité. En effet, le sommeil provoque le **ralentissement du cœur**, l'**abaissement de la tension artérielle**, la **détente musculaire**, le **ralentissement du métabolisme**. Ainsi, les milliards de cellules de l'organisme en profitent pour faire provision de minéraux.

Il est impossible de vivre en santé sans un sommeil naturel et réparateur.

Sans repos, sans calme, il n'y a pas d'énergie ou de régénération. La vitesse, qui fait partie de notre société, est contraire à la vraie nature de l'être humain; elle robotise son temps et l'empêche de penser et de réfléchir sur la qualité de la vie, valeur fondamentale pour s'élever vers la santé.

L'exercice physique

La vie est mouvement. Tous les organes et tous les muscles ont besoin du mouvement naturel pour rester sains et aptes à travailler. Pour reconditionner la musculature, le mouvement est essentiel. Les muscles qui ne travaillent pas ne reçoivent pas assez de sang; ils s'atrophient et les poisons de l'alimentation chimique ont deux fois plus d'effets destructeurs.

L'exercice physique est une loi immuable de la nature qui porte ses sanctions si elle n'est pas respectée quotidiennement.

L'exercice physique est indispensable pour **augmenter le volume des poumons.** Un poumon entraîné avec des exercices physiques respire plus profondément et contient un volume d'air plus considérable dans ses alvéoles.

L'exercice physique est nécessaire pour **renforcer les muscles du cœur**. Le cœur étant le plus gros muscle du corps, il a besoin d'être entraîné par l'exercice. Un cœur renforcé pompe une plus grande quantité de sang avec moins d'efforts. **L'irrigation de tout l'organisme en est améliorée.**

Cependant, ni l'oxygénation ni l'exercice physique ne feront un corps sain si l'alimentation n'est pas naturelle et biologique, dans la mesure du possible.

La pensée positive

L'organisme d'une personne est un tout: on ne peut séparer la santé mentale de la santé physique. **La psychologie et la physiologie d'un individu suivent les mêmes lois biologiques.**

La personnalité d'un individu représente un ensemble lié à tout l'organisme, car les cellules du cerveau sont nourries et alimentées avec les mêmes éléments nutritifs que les autres cellules. Chacune de nos pensées est donc la résultante d'une série de réactions biochimiques qui s'effectuent à partir des molécules mêmes de notre alimentation, ce qui fait dire qu'une pensée positive (confiance, patience, calme, harmonie, joie, bonheur) est générée en grande partie par un apport adéquat en substances nutritives, c'est-à-dire un bon équilibre des minéraux alcalins et des autres nutriments à l'intérieur même du cerveau.

Une personne en parfaite santé physique possède par le fait même une parfaite santé psychologique et elle a donc naturellement une pensée positive.

En effet, les actions neurologiques comme les actions métaboliques sont sous la dépendance de réactions physico-chimiques où interviennent des minéraux comme le sodium (Na), le potassium (K), le calcium (Ca), le magnésium (Mg), etc.

Les gens **NERVEUX, HYPERÉMOTIFS, HYPERACTIFS, AGRESSIFS, IMPATIENTS, DÉPRESSIFS, TIMIDES, APATHIQUES**, etc. sont d'abord des gens **mal nourris**, donc, **carencés**. Lorsqu'on empoisonne et qu'on carence le corps, on empoisonne et on carence les fonctions célébrales également. La majorité des tensions, des tracas, des contrariétés psychologiques peuvent être **supportés**, sans grand dommage, aussi longtemps que l'alimentation naturelle et biologique est observée et qu'une supplémentation adéquate est appliquée, en vue de maintenir son énergie et sa forme. En effet, chaque émotion (stress, peine, contrariété ou autres) fait subir à l'organisme une décharge de magnésium (Mg) qui ne peut être renouvelé par une nourriture carencée.

Le soleil

Il n'existe pas dans le monde un agent vivificateur comparable au soleil. Notre ration de soleil devrait être journalière, et ce, douze mois par année.

Les bains de soleil constituent une technique simple pour stimuler l'organisme. Le soleil transforme le cholestérol sanguin en **vitamine D,** nécessaire à la fixation du calcium dans les os.

La cure solaire, ou héliothérapie, s'adresse à plusieurs maladies de la nutrition comme l'**OBÉSITÉ**, le **DIABÈTE**, la **GOUTTE**, la **CELLULITE**, le **RHUMATISME**, l'**ANÉMIE**, les **DÉFICIENCES GLANDULAIRES**, l'**ARTHRITE**, le **RACHITISME**, les **SCOLIOSES** de croissance, la **NERVOSITÉ**, l'**ANXIÉTÉ**, la **NEURASTHÉNIE**, les **MALADIES DE PEAU**, la **DÉCALCIFICATION**, etc.

Le soleil est très important pour l'équilibre de l'organisme. On devrait aussi le laisser pénétrer, le plus souvent possible, à l'intérieur des maisons et on devrait aussi, toutes les fois que c'est possible, manger à l'extérieur de la maison, au grand air et au soleil.

L'oxygénation

Plus de la moitié du poids de notre corps est composé d'oxygène. Notre organisme absorbe, de façon constante et en grande quantité, l'oxygène contenu dans l'air ambiant. Cet oxygène est essentiel pour oxyder notre combustible cellulaire (sucre, graisses, protéines) en énergie (Fig.5). La chaleur de notre corps dépend également de cet oxydation.

Comme les milliards de cellules, qui forment notre organisme, sont coupées de tout contact avec l'atmosphère, l'apport en oxygène leur est fourni par le sang, en coopération avec les organes spécialisés: les poumons et la peau.

L'air ambiant qui nous entoure contenait autrefois jusqu'à 40% d'oxygène, cependant dans les villes ce taux peut diminuer à 10% et encore plus dans les édifices mal ventilés. Nous souffrons donc de plus en plus d'asphyxie partielle et chronique (mauvaise oxydation de nos déchets métaboliques) responsable de plusieurs problèmes de santé: **FRILOSITÉ EXAGÉRÉE, FATIGUE CHRONIQUE, FOIE LENT, MAUVAISE OXYDATION DE NOS GRAS SATURÉS, EMBONPOINT, CHOLESTÉROL ÉLEVÉ, TRIGLYCÉRIDES ÉLEVÉS, MIGRAINES, MENSTRUATIONS DIFFICILES, MAUVAISE CIRCULATION, FAIBLESSE PSYCHOLOGIQUE, VIEILLISSEMENT PRÉMATURÉ, IMMUNITÉ FAIBLE, PROBLÈMES CARDIO-VASCULAIRES**, etc.

L'acquisition d'une grande capacité pulmonaire devrait être entreprise dès le bas âge par la gymnastique respiratoire, les sports, le chant, les séjours en forêt ou au bord de la mer. La respiration cellulaire étant plus intense la nuit que le jour, il est impératif de dormir dans un endroit parfaitement aéré. Beaucoup trop de maladies dégénératives sont reliées à une privation d'oxygène des cellules.

> *«La possession de la santé naturelle augmenterait énormément le bonheur de l'humanité.»*
>
> Dr Alexis Carrel, M.D.

CONCLUSION

Le Créateur, dans sa grande sagesse, n'a jamais voulu que la souffrance et la maladie soient le lot de toute l'humanité. C'est l'homme seul, dans sa bêtise, qui est la cause d'une telle misère. Nous remarquons que les animaux, eux, ont une vie relativement longue et exempte de maladies, alors que les humains ont une vie trop brève et chargée de maladies. Pas étonnant, puisque les premiers respectent les lois de la nature, alors que les seconds les violent. Comme nous devrions avoir une durée de vie égale à environ 5 à 7 fois l'âge limite de notre croissance et que notre croissance se termine entre 20 et 25 ans, la durée de la vie humaine devrait alors se situer entre 120 et 150 ans. C'est ce qui nous fait dire que l'homme moderne se tue prématurément, à petit feu, après avoir été, une grande partie de sa vie, carencé et intoxiqué par une alimentation à moitié morte. En effet, l'industrie alimentaire chimique est à l'origine de la plus cruelle conspiration jamais inventée contre l'humanité. A elle seule, elle a fait plus de victimes que toutes les guerres réunies. Sa culpabilité ne fait plus aucun doute, face à l'effroyable dégringolade de notre santé.

Prétendre aujourd'hui que les maladies sont accidentelles, qu'elles sont dues au hasard, au stress ou à quelques virus mystérieux, c'est avouer son incompréhension et son incompétence. La maladie est la résultante de nos erreurs alimentaires répétées depuis plusieurs générations. Elle représente un état de toxémie causée par l'entrée de substances indésirables et antimétaboliques. Par l'élimination insuffisante des métabolites intermédiaires toxiques que la maladie génère et par les carences en facteurs vitaux qu'elle entretient, il en résulte que l'intégrité du milieu intracellulaire est perturbée. L'activité des innombrables systèmes enzymatiques (glycolyse, cycle de Krebs, phosphorylation oxydative) ainsi que le fonctionnement des organes de filtration, de neutralisation et d'élimination des métabolites toxiques s'en trouvent inéluctablement affaiblis.

La naturopathie considère comme illusoires et fausses toutes tentatives de dissociation entre la maladie et l'alimentation du patient. La naturopathie qui est une médecine holistique croit en la sagesse du corps, c'est-à-dire en la puissance de **reconstruction** et de **désintoxication** de l'organisme. Pour vaincre la maladie, il faut agir directement sur les échanges enzymatiques des cellules et sur leur équilibre acido-basique, par des cures appropriées de désintoxication et de revitalisation cellulaire, ainsi que par une alimentation naturelle et biologique. La santé ne peut s'obtenir qu'à cette condition. Elle s'acquiert et se conserve à n'importe quel âge. Elle est la récompense des gens **persévérants** qui mettent suffisamment de **jugement** et de **compréhension** pour collaborer avec la nature.

La santé est une expérience unique qui nous grandit et qui efface à tout jamais cette peur ancestrale de la maladie. C'est une expérience qui n'arrive qu'aux naturistes convaincus qui ont la volonté de vaincre la maladie à n'importe quel prix. Les naturistes ont compris que la seule alimentation qui mérite d'être qualifiée de saine, c'est l'alimentation naturelle et biologique.

L'alimentation naturelle et biologique est un facteur de santé primordial puisque'elle influe directement sur toutes nos potentialités, sur notre apparence, nos activités, nos pensées, nos facultés intellectuelles et artistiques. Elle décide de notre enthousiasme à vivre, du dynamisme que nous y apportons et de la satisfaction que nous en retirons. De plus, les naturistes savent que pour une santé maximale dans un environnement surpollué, il faut une bonne supplémentation alimentaire (vitamines et minéraux, protecteurs, dépuratifs, etc.).

La naturopathie n'a pas la prétention, ni le désir, de remplacer la médecine allopathique qui sera toujours nécessaire pour une large partie de la population, surtout dans le cas de maladies avancées, d'hospitalisation et d'accidents. La naturopathie est une médecine complémentaire et essentielle dans une société comme la nôtre où nous assistons un peu plus tous les jours à l'empoisonnement massif d'un peuple et à sa dégénérescence.

Avec des coûts annuels astronomiques de près de $10 milliards pour traiter la maladie au Québec, il est grand temps de réagir. C'est ce que font des millions de naturistes québécois qui sont en train de contourner la catastrophique dégénérescence de notre santé, grâce à la science et à la technologie appliquées, dans le respect des lois de la nature. Il est à souhaiter que le relèvement du niveau de connaissances et de conscience de la population, déjà bien amorcé depuis plusieurs années, continue à ce rythme, car la population a besoin de se libérer de l'emprise de la publicité frauduleuse de l'industrie alimentaire chimique, cette industrie qui hypothèque depuis plusieurs générations, déjà, notre capital santé.

Les Québécois doivent reconquérir leur liberté de penser et de s'alimenter naturellement pour participer à l'édification d'un peuple biologiquement plus fort et donc, plus heureux. Dans cette voie, les naturistes sont les piliers de cette nouvelle révolution alimentaire.

Santé et bonheur à tous les gens de bonne volonté!

«La destinée des nations dépend de la manière dont elles se nourrissent.»

Brillat-Savarin

ANNEXE 1

Recettes simples et pratiques

Déjeuner-Santé «Polinal»

* 30 ml d'huile de tournesol de première pression à froid
* 125 g de fromage blanc maigre «Damablanc»
* 15 ml de graines de lin biologiques broyées
* 1 banane écrasée
* 15 ml de pollen de fleurs
* 15 ml d'amandes moulues

Mélanger le tout.

Gélatine aux fruits naturels

* 15 ml de gélatine sans saveur
* 500 ml de jus de fruits non sucré
* 50 ml d'eau (distillée si possible)
* Quelques fruits au choix coupés en morceaux

— Faire gonfler la gélatine dans l'eau

— Dissoudre ce mélange avec 250 ml du jus sur feu doux

— Retirer du feu et ajouter l'autre 250 ml de jus et les morceaux de fruits

— Laisser prendre le mélange dans le réfrigérateur 1 heure avant de servir

BIBLIOGRAPHIE

a) Liste des ouvrages scientifiques

BARBEAU, Dr Raymond, N.D.

Mangez bien et rajeunissez, Montréal, Les Éditions de l'homme, 1966, 123 p.

Votre santé par la naturopathie, Montréal, Éditions Clinique Barbeau, 1967, 128 p.

L'importance du magnésium dans la santé, Montréal, Éditions Clinique Barbeau, 1967, 157 p.

Recettes naturistes pour les Québécois, Montréal, Éditions Clinique Barbeau, 1969, 336 p.

La cause du cancer, Montréal, Éditions Clinique Barbeau, 1971, 283 p.

BINET, Dr Claude

Vitamines et vitaminothérapie, France, Éditions Dangles, 1981, 231 p.

BLAIS, Jacques, N.D.

Échec au vieillissement prématuré, Montréal, Éditions du Jour, 1974, 149 p.

BOHÉMIER, Guy, N.D.

L'exercice physique pour tous, Montréal, Éditions du Jour, 1969, 156 p.

BOULANGER, P. et coll.

Biochimie médicale II, Masson, 1981, 344 p.

BORDELEAU, Gilles, N.D.

Vivre en santé après 40 ans, Guy Saint-Jean Éditeur, 1986, 172 p.

BORDELEAU, Lucille et Gilles

Les combinaisons alimentaires, Montréal, Éditions Forma, 1986, 95 p.

BRUNET, Dr J.M., N.D.

La réforme naturiste, Montréal, Éditions du Jour, 1969, 139 p.

Le guide de l'alimentation naturelle, Montréal, Éditions du Jour, 1970, 132 p.

Les vitamines naturelles, Montréal, Éditions du Jour, 1970, 132 p.

Dossier Fluor, Montréal, Éditions du Jour, 1972, 160 p.

La santé par le soleil, Montréal, Éditions du Jour, 1972, 123 p.

La chaleur peut vous guérir, Montréal, Éditions du Jour, 1972, 139 p.

Le cœur et l'alimentation, Montréal, Éditions de Mortagne, 1972, 123 p.

Les plantes qui guérissent, Montréal, Éditions du Jour, 1972, 128 p.

La nutrition de l'athlète et du sportif, Montréal, Éditions du Jour, 1973, 156 p. *La santé par les jus*, Montréal, Éditions du Jour, 1973, 133 p.

Guérir votre foie, Montréal, Éditions de Mortagne, 1973, 125 p.

La vitamine «E» et de votre santé, Montréal, Éditions du Jour, 1974, 160 p.

DAUPHIN, Lise, N.D.

Recettes naturistes pour tous, Montréal, Éditions du Jour, 1969, 157 p.

ERRERA, Henry.

L'herbier magique, Paris, Éditions Pierre Belfond, 1982, 321 p.

JENSEN, Bernard.

The Chemistry of Man, Bernard Jensen Publisher, 1983, 599 p.

LABELLE, Yvan, N.D.

La santé de l'arthritique et du rhumatisant, Montréal, Éditions du Jour, 1974, 140 p.

LABELLE, Yvan, N.D. et Lucie Cuillérier.

Recettes naturistes pour arthritiques et rhumatisants, Montréal Éditions du Jour, 1975, 107 p.

LABELLE, Yvon, N.D.

L'arthrite, souffrance inutile?, Montréal, Éditions Fleurs Sociales, 1974, 140 p.

Si les glandes m'étaient contées..., Montréal, Éditions Fleurs Sociales, 1989, 483 p.

LALAGUE, Dr Sylvie.

La mer guérisseuse, Québec, Collection Guide-Desclez, 1980, 120 p.

LANTHIER, Aldiï, N.D.

Les plantes curatives, Montréal, Les Éditions de l'auteur, 1973, 200 p.

LAUZON, Jean-Luc, N.D.

Maigrir naturellement, Montréal, Éditions du Jour, 1973, 160 p.

LAUZON, Rolland, N.D.

Une belle peau,Montréal, Éditions du Jour, 1972, 112 p.

LECOQ, Raoul.
Les vitamines, le dépistage de leurs carences et leurs indications thérapeutiques, France, Éditions G. Douin et cie., 1959, 346 p.

LEDUC, Paul.
Vos aliments sont empoisonnés, Montréal, Éditions du Jour, 1970, 175 p.

LEHNINGER, A.L.
Biochimie, Flammarion, Médecine-Sciences, 2e éd., 1977, 1088 p.

MARCHESSEAU, P.G. Jauvais, N.D.
Cours complet de biologie naturopathique, France, Éditions Série Radieuse, 1970, 280 p.

MASSON, Robert, N.D
Soignez-vous par la nature: Traité de naturopathie pratique, Paris, Éditions Albin Michel, 1977, 508 p. *Folie et sagesse des médecines naturelles*, Paris, Éditions Albin Michel, 1982, 334 p.

MINDELL'S, Earl.
Vitamin Bible, Éditions Warner Books inc., N.Y., 1985, 345 p.

PARENT, Gilles, N.D.
Vaincre l'arthrite, Montréal, Éditions Libre Expression, 1987, 175 p.

PARIS, R.R., H. Moyse.
Matière médicale Tomes I, II, III, Paris, Collection de précis de pharmacie, Éditions Masson, 1981.

PIM, Linda R.
Nos aliments empoisonnés, Montréal, Collection Santé-Prévention, 1986, 335 p.

POLONOVSKI, Michel.
Biochimie médicale II: Enzymes et métabolismes, Paris, Masson et Cie, 1969, 343 p.

ROBINSON, F.A.
The vitamin co-factors of enzyme systems, Permagon press, 1966, 896 p.

RONDEAU, Clément.
S.O.S. biosphère pollution, Montréal, Éd. Hurtubise HMH ltée, 1972, 155 p.

SCHAPIRA, G., J.C. Dreyfus et coll.
Pathologie moléculaire II, Paris, Masson et Cir, 1975, 313 p.

SEGANTINI, Serge.
Vitalité et dynamisme par le magnésium, Paris, De Vecchi Poche, 1986, 125 p.

TERNISIENS, Jean A.

Les pollutions et leurs effets, La science vivante, P.U.F., 1968, 187 p.

TERROINE, Thérèse.

Les interrelations vitaminiques, Paris, Centre National de la recherche scientifique, 1966, 272 p.

TURGEON, Madeleine, N.D.

Découvrons la réflexologie, Montréal, Éditions de Mortagne, 1980.

Énergie et réflexologie, Montréal, Éditions de Mortagne, 1985, 238 p.

VALNET, J.

Phytothérapie, Paris, Éditions Maloine, 1979, 912 p.

VERDON-LABELLE, Johanne, N.D.

Soins naturels de l'enfant, Montréal, Éditions du Jour, 1973, 160 p.

Soins naturels de la femme enceinte, Montréal, Éditions du Jour, 1984, 341 p. *Soigner avec pureté*, Montréal, Éditions Fleurs Sociales, 1985, 333 p.

YIAMOUYIANNIS, Dr John.

Fluoride the aging factor, Ohio, Health Action Press, 1986, 204 p.

Autres ouvrages:

Compendium des produits et spécialités pharmaceutiques, Ottawa, Dix-septième édition, 1982, 638 p.

National Research Council Recommended Dietary, Allowance Washington National Academy of Science, 1974, p. 34.

b) Liste des articles scientifiques

CHERASKIN, E. and W.M. Ringsdorf.

How much refined carbohydrate should we eat, American Laboratory 1971, p. 6-31.

DENTON, R.M., P.J. **RANDLE**
and B.R., **MARTIN.**

Stimulation by Ca^{2+} *of pyruvate dehydrogenase phosphate phosphatase*, Biochem. J., 1972, p. 128, 161-163.

LOWENSTEIN, J.M

The arboxylic acid cycle, 3d édition, D.N. Greenberg (ed), Metabolic Pathways, vol. 1, p. 146-270.

VILLAR-PALASI, C. and J. **LARNER**

Glycogen metabolism and glycolytic enzymes, Ann. Rev. Biochem., 39, 1970, p. 639-672.

WILLIAMS, R.J

Chemistry and biochemistry of pantothenic acid, Advances in Enzymology III, 1943, p. 253.

TABLE DES MATIÈRES

DEUXIÈME PARTIE

LA GENÈSE DES MALADIES MÉTABOLIQUES

TROISIÈME PARTIE

LA THÉRAPEUTIQUE NATUROPATHIQUE DU MÉTABOLISME

Achevé d'imprimer
en janvier 1990
MARQUIS
Montmagny, QC